LE CARNET
du savoir - vivre
au bureau

Direction éditoriale Flammarion : Juliette Joste
Direction éditoriale *Figaro* : Émilie Bagault, Pascale Bourdet, Lionel Rabiet
Coordination éditoriale : Tatiana Seniavine

Direction artistique : Antoine du Payrat
Conception graphique et réalisation : Virginie Berthemet
Illustrations : Virginie Berthemet (minium@virginie-berthemet.com)

Fabrication : Marion Lance

Achevé d'Imprimer en Italie par G. Canale & C. S.p.A.

L.01ELJN000217.N001
ISBN : 978-2-0812-1849-9
Dépôt légal : mars 2009
© Flammarion, 2009

Cet ouvrage a été composé en Anisette pour les titres,
Linoscript pour les chapeaux, et Today regular pour le texte.

LAURENCE CARACALLA

LE CARNET
du savoir - vivre
au bureau

Flammarion **LE FIGARO**

Pour Marie-Thérèse Caloni,
qui savait rendre si gaie ma vie au bureau.

AVANT - PROPOS

Signe des temps, l'époque ne serait plus au «*Time is money*». L'âge d'or des requins de la finance individualistes serait même révolu. Doit-on s'en plaindre? Doit-on regretter ces années où le mot «politesse» n'avait jamais sa place dans le manuel «Devenir milliardaire en dix leçons»? En recueillant des citations de spécialistes en communication d'entreprise, je m'aperçois à quel point les mœurs ont évolué: «Être civilisé, c'est aussi être pris au sérieux», disent les uns; «Des employés heureux car respectés, reconnus, félicités seront toujours plus efficaces», rappellent les autres. Le savoir-vivre serait-il donc un moyen moderne de réussir sa carrière ou de faire fructifier son entreprise? Soyez heureux, vous ne perdrez plus votre temps en étant sympathique. Sourire, dire bonjour ou merci vous prendra deux secondes et vous en fera gagner des centaines quand vous aurez besoin de l'aide de vos collaborateurs en période de crise.

Alors, si vous avez tout essayé pour saboter votre carrière et que vous n'y arrivez pas, laissez-moi vous donner un conseil. Soyez grossier, suffisant et je vous promets que vous parviendrez à vos fins. Trêve de plaisanterie: vous êtes-vous déjà demandé pourquoi vous n'étiez jamais promu? Vos compétences sont pourtant reconnues de tous, même de votre patron. Qui sait aussi que vous ne saluez personne, que le mépris est votre outil de communication favori, que vos retards systématiques sont presque aussi célèbres que la sonnerie de votre portable qui carillonne en pleine réunion. Il a compris surtout que votre manque de savoir-vivre empoisonnait la vie de son entreprise. Réagissez avant la catastrophe, ne soyez pas de ceux qui croient encore que rien ne sert d'être poli dans un milieu professionnel qui ne demande que productivité et efficacité. Ce n'est pas en souriant que vous prendrez des galons, nous sommes d'accord. La courtoisie n'a jamais aidé un simple salarié à devenir PDG de multinationale. Mais elle y contribue.

Avec *Le Carnet du savoir-vivre au bureau*, vous pourrez répondre à des questions qui vous titillent: «Dois-je vraiment aller à la fête de fin d'année?»; «Comment m'habiller pour un entretien?»; «Puis-je parler de tout à mes confrères?»; «Est-ce possible de dire non à mon patron?». Vous sentir en harmonie avec les autres et avec vous-même: c'est peut-être ça, la clef de la réussite.

LES DÉBUTS

LE CV ET LA LETTRE DE MOTIVATION

« Attention, réussir votre cv peut vous faire gagner entre 17 000 et 30 000 dollars. »
Lindsay Carole,
consultante en outplacement.

Votre CV et votre lettre de motivation doivent être courts. C'est la première règle, simple mais incontournable. Pas question de vous lancer dans les détails, certes passionnants et savoureux, de votre vie professionnelle ou privée. Le recruteur a autre chose à faire, il ne doit pas passer un quart d'heure à vous lire. On dit même qu'il doit en trente secondes chrono se faire une idée de votre candidature. Des CV, il en reçoit des dizaines par jour, son attention est forcément attirée par les courriers les plus saillants, les plus percutants.

Un CV ne doit pas dépasser une page si vous êtes débutant, deux si vous avez une grande expérience. Même chose pour la lettre, qui n'est plus obligatoirement manuscrite, pour la simple raison qu'elle doit être lisible. Beaucoup de courriers ont été jetés à la poubelle parce qu'on ne pouvait pas les déchiffrer. La brièveté de votre correspondance montrera, en outre, votre grand esprit de synthèse.

Utiliser du papier blanc, de format 21 x 29,7, éviter les fioritures est le plus sûr moyen de ne pas se tromper. La couleur de la typo doit être noire, éventuellement bleu marine ; oubliez le rouge ou le rose, ce serait absurde.

Si vous envoyez votre CV par courriel, en fichier joint, ce qui est de plus en plus courant, ne vous contentez pas d'écrire dans le corps du mail une formule comme : « En vous souhaitant une bonne réception ». C'est grossier et très mal vu. Prenez la peine de rédiger cinq ou six lignes sur les raisons pour lesquelles vous avez choisi de contacter cette entreprise. Ce petit texte sera moins formel qu'un courrier mais devra dire sensiblement la même chose. Attention ! Certaines polices ne sont pas décryptées par tous les logiciels. N'envoyez pas bêtement par courriel un CV impeccable pour vous, mais qui arriverait chez votre destinataire en caractères cyrilliques. Là vous feriez à coup sûr chou blanc.

Ne mentez pas sur vos capacités. Trop souvent, les postulants « arrangent » leur CV. Il sera facile pour un recruteur de savoir si vous avez réellement obtenu le diplôme de telle ou telle école de commerce. Il lui sera également aisé de vérifier si vous êtes bilingue en anglais. Si ce n'est pas le cas, vous vous mettriez dans une position pour le moins embarrassante. Ne vous dénigrez pas non plus, n'hésitez pas à mettre en valeur vos capacités. On doit mesurer au premier coup d'œil la qualité de vos compétences et voir que vous êtes l'homme ou la femme de la situation !

Faites relire votre CV par deux, trois, voire quatre personnes de votre entourage, car il doit être absolument impeccable. Pas une faute d'orthographe n'est admissible, pas d'erreur non plus dans les dates ou les noms des sociétés pour lesquelles vous avez travaillé. Profitez-en pour demander à vos relations s'ils trouvent votre CV explicite et engageant. Les amis intimes sont sincères, et toutes leurs recommandations vous aideront à le perfectionner. Lorsque le document vous semble irréprochable et que vous le faites parvenir par courriel, vérifiez que le titre de la pièce jointe est bien : « CV de Jean Dupont » et non pas « CV » tout court. Le recruteur, s'il le range dans un dossier de son ordinateur, pourrait ne plus le retrouver. Et ce serait un handicap majeur pour votre candidature !

Des exemples de CV parfaits, vous en trouverez des multitudes sur Internet. Ce qu'il faut savoir, c'est que vous devez mettre votre prénom avant votre nom sans ajouter Monsieur ou Madame (sauf si vous vous appelez Claude ou Dominique et que cela porte à confusion). Il est désormais d'usage de joindre sa photo, mais rien ne vous y oblige si ce n'est pas stipulé, à moins que vous soyez très photogénique ! Un homme devra alors porter une cravate. Ajoutez votre date de naissance même si, par souci de non-discrimination, les sociétés ne vous obligent plus à la révéler. Si vous n'avez pas envie que l'on connaisse votre âge, sachez qu'on le découvrira plus ou moins en fonction de l'année de l'obtention de vos diplômes. Ensuite, n'oubliez pas que l'on commence par ses dernières expériences professionnelles et que l'on finit par sa formation lorsqu'on a un bagage

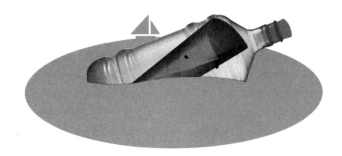

important derrière soi. Si, au contraire, vous entrez dans le monde du travail, commencez plutôt votre CV par la liste de vos diplômes. Inutile de préciser : « Baccalauréat A4 » lorsque vous avez fait Sciences Po ! Ne l'encombrez pas de données sans intérêt pour combler les trous. Si vous avez travaillé comme baby-sitter toute votre jeunesse et que vous postulez pour être commercial, ce n'est pas la peine de le signaler. Vous êtes au chômage ? Ne le soulignez pas. Le recruteur le comprendra par lui-même en constatant que vous ne dites rien sur ces six derniers mois et en parlera directement avec vous au cours de l'entretien. Indiquez (honnêtement !) votre niveau de langues et d'informatique, puis vos centres d'intérêt « extraprofessionnels ». Là encore, réfléchissez à ce qui vous paraît utile pour le poste que vous convoitez. Vous voulez passer pour un individu dynamique ? Notez que vous êtes sportif (même si vous faites du tennis deux fois par an), que vous aimez les voyages. En revanche, si vous êtes membre d'un parti politique, si votre famille vous surnomme la « reine du tricot », on ne doit pas le savoir.

Dans votre lettre d'accompagnement, n'exagérez pas. Ne vous échinez pas à faire comprendre au recruteur qu'entrer dans son entreprise serait le plus grand bonheur de votre vie. Il n'en croirait pas un mot si la société est peu connue et serait irrité par votre lyrisme évidemment hypocrite ! Faites au préalable quelques recherches sur l'entreprise que vous sollicitez, cela ne vous servira pas uniquement pour votre lettre mais aussi pendant l'entretien. Prouvez point par point pourquoi vous êtes le candidat idéal au poste concerné. N'écrivez pas que vous êtes le meilleur, que vous êtes prêt à tout (il entendrait : à n'importe quoi), cela serait insuffisant et le recruteur aurait surtout la preuve infaillible que vous êtes un peu trop sûr de vous. C'est de toute façon à lui de vous juger. Vous pouvez utiliser le jargon approprié, si vous le maîtrisez, mais n'en rajoutez pas : votre vocabulaire technique est incompréhensible pour ceux qui ne font pas le même métier que vous et peut, une fois encore, agacer.

Finissez toujours par une formule de politesse assez formelle. Un exemple parmi d'autres : « Dans l'attente d'une réponse de votre part, je vous prie d'agréer, madame (ou monsieur), l'expression de mes respectueuses salutations. » Dans ce cas-là, et même quand il s'agit d'un envoi par courriel, le simple « Cordialement » n'est pas approprié.

Enfin, il serait très mal vu de poster votre lettre par l'intermédiaire de la société qui vous emploie encore. Le recruteur en déduirait logiquement que vous ferez de même pour vos envois personnels s'il vous engage. Et n'envoyez pas une lettre timbrée pour la réponse à votre demande. Vous le prenez pour un pingre ? C'est mal parti pour votre futur salaire.

PRÉPARER L'ENTRETIEN

« Entraînez-vous à trouver un débit modéré.
Si vous parlez trop rapidement, vous renverrez
l'image d'un individu nerveux.
À l'inverse, exprimez-vous trop lentement
et l'on pensera que vous êtes stupide. »
Bob Raser, directeur des ressources humaines,
Bob & Raser Associates

Vous avez rendez-vous vendredi à 15 heures au 9, rue de Paris. C'est noté, gravé dans le marbre. Vous avez eu du mal à le décrocher, ce fameux entretien. Maintenant, vous allez vous donner toutes les chances d'y arriver. Ce job, vous le voulez, vous l'aurez !

Pour commencer, connaissez-vous la rue de Paris ? Savez-vous comment vous y rendre ? Posez-vous ces questions en priorité. Car le directeur des ressources humaines ne s'en soucie guère et ne tolérera pas que vous ayez une minute de retard. Pas de panique : en un rien de temps, sur Internet, vous aurez tous les outils pour établir un plan précis de votre parcours. N'appelez surtout pas un quart d'heure avant le rendez-vous pour demander quelle est la station de métro la plus proche ou pour vérifier l'adresse. Votre entrée dans la société commencerait mal. Très mal, même. Avant même de vous connaître, on saura déjà que vous êtes désorganisé et que cet entretien est le cadet de vos soucis ! Tant mieux, car on n'attend pas que vous : je suis prête à parier que vous avez perdu d'emblée toutes vos chances de remporter le gros lot. Dommage, non ?

Pensez plutôt à arriver en avance et présentez-vous à l'accueil détendu et souriant. Nous sommes d'accord : on donne toujours son prénom avant son nom, on ne dit pas « Monsieur Jérôme Durand », mais « Bonjour, Jérôme Durand, j'ai rendez-vous avec Monsieur Martin » est évidemment la meilleure formule. Si l'on vous fait patienter, ne regardez pas votre montre d'un air agacé et ne foudroyez pas l'hôtesse du regard. Elle n'y est pour rien, alors remerciez-la et attendez tranquillement votre tour.

Une DRH a dressé la liste de toutes les maladresses qu'elle subit depuis des années. Des bévues apparemment anodines qui peuvent devenir gênantes au quotidien ; pas pour elle, mais pour tous ceux avec qui vous allez travailler. Elle pardonne sans difficulté la main moite : elle sait quelle anxiété peut envahir tout candidat. En revanche, les odeurs nauséabondes de transpiration, d'ail ou de cigarette, le patchouli qui donne la migraine, ça non. On ne mange donc pas d'escargots de Bourgogne avant un entretien, on n'oublie pas le déodorant après sa douche, on ne fume pas trois paquets de cigarettes pour chasser le stress avant d'arriver et on ne tente surtout pas de camoufler le tout en s'aspergeant de fragrances de mauvaise qualité ! Rien ne doit détourner l'attention de votre interlocuteur. Vous êtes là pour un job et vous avez du talent ? On ne doit penser qu'à ça.

Sachez vous habiller sobrement. Vous êtes séduisante et vos jambes sont votre principal atout ? Formidable. Mais il est hors de question de mettre une minijupe. Rien ne dit que vous serez engagée parce qu'on vous compare souvent à Adriana Karembeu. Et, si c'était le cas, seraient-ce les meilleures bases de départ ? À vous de voir, mais il semble que commencer par se faire respecter est primordial. Vous êtes décontracté et vous ne portez que des jeans ? Désolée, mais vous devrez mettre un costume et une cravate parce que le code neutre de l'entretien l'exige. Bien sûr, si vous postulez pour un job de créatif dans une agence de publicité, on n'attendra pas de vous un trois-pièces en flanelle grise, mais sachez faire l'effort vestimentaire qui montre que vous prenez cette entrevue très au sérieux. Si vous devez en acheter un, portez-le plusieurs fois avant le jour J. Vous vous sentirez plus à l'aise et ne donnerez pas l'impression d'avoir sorti vos habits du dimanche. Cirez vos chaussures et nettoyez vos lunettes s'il le faut. Et surtout, jamais de chaussettes blanches avec un costume. Pourquoi ? Parce que les chaussettes blanches sont faites pour les tenues de sport. C'est comme ça.

Mesdames, vous ne vous maquillerez pas outrageusement, et

vous, messieurs, ne retirerez pas votre veste, même s'il fait 35 , sauf si votre futur employeur vous y invite. Vous pouvez refuser si vous sentez que des auréoles inesthétiques risquent de se voir ! Soyez frais, naturel, sobre et sans affectation autant que votre stress vous le permettra.

Le premier contact physique est essentiel. La poignée de main est toujours franche. On ne tend pas une main molle, mais on ne comprime pas non plus les doigts de la personne. Les femmes portent parfois de grosses bagues et vous pouvez leur faire très mal ! Ce n'est pas à vous de tendre la main d'entrée : attendez que votre interlocuteur le fasse.

Voici venu le moment de sourire. Attention, un pauvre sourire peut renvoyer une image de personne timide et peu sûre d'elle. Un sourire railleur à un « je m'en foutiste » certain de son pouvoir de séduction. C'est difficile de trouver la vraie bonne posture. Entraînez-vous devant la glace et faites quelques réglages. Essayez toutes les mimiques possibles jusqu'à ce que vous tombiez sur ce sourire charmant, chaleureux, franc, bref, une synthèse de ce que vous êtes vraiment ! Et regardez votre interlocuteur dans les yeux, sans pour autant le fixer au point que cela le gêne.

Attendez que l'on vous propose de vous asseoir. Si l'on demande de vos nouvelles, dites systématiquement que tout va très bien. Même si vous avez un rhume coriace et que vous vivez l'enfer, cela ne doit ni se voir ni se savoir.

Si vous voulez prendre des notes, demandez d'abord si c'est possible avant de sortir votre bloc.

Gardez toujours en tête que la personne qui vous fait face vous juge depuis que vous avez franchi la porte de son bureau.

L'ENTRETIEN

Votre recruteur doit se dire :
« Ce candidat pourrait bien devenir un jour
un homme d'affaires influent doté d'une longue
mémoire et sachant s'en servir pour choisir
ses relations professionnelles. »
Lydia Ramsey,
experte en savoir-vivre professionnel.

Premier contact : certains candidats cherchent à établir une certaine complicité dès leur arrivée. Erreur ! Vous n'êtes certainement pas là pour faire ami-ami. Inutile de s'extasier devant la photo de ces ravissantes têtes blondes ou ce bureau magnifique et décoré avec tant de goût. Bien au contraire, soyez réservé (sans être inhibé) et poli, ce sera parfait. Attendez que l'on vous interroge et répondez clairement. Montrez-vous dynamique mais surtout sachez vous adapter à l'interlocuteur. Ne coupez pas la parole, c'est agaçant. Vous n'êtes pas là pour faire un one-man-show mais pour établir un dialogue en confiance. Si vous savez que vous avez tendance à ne pas être compris, articulez. Rien de plus pénible que de tendre l'oreille ou de devoir faire systématiquement répéter. Vous devez toujours avoir en tête que le recruteur est peut-être pressé ou qu'il a d'autres rendez-vous. Soyez concis (ce qui ne veut pas dire répondre par oui ou par non) et ne partez pas dans des envolées lyriques éprouvantes pour celui qui vous écoute. En revanche, il est possible que l'on vous questionne sur des sujets plus personnels, histoire de mieux cerner votre personnalité. Vous pouvez alors raconter sans crainte quels sont les pays que vous avez visités si c'est ce que l'on vous demande. Au passage, parlez de fouilles gréco-romaines, par exemple, si vous avez repéré que votre interlocuteur en est fou. Un entretien est un dialogue, sûrement pas un interrogatoire de police.

La rémunération est un sujet on ne peut plus délicat dans la vie de tous les jours, beaucoup moins dans ce cas précis. Votre interlocuteur sait pertinemment que connaître le salaire de cet éventuel

travail vous intéresse en premier lieu. Vous n'avez pas à rougir lorsqu'on vous demandera quelles sont vos prétentions. Mais n'oubliez pas qu'il s'agit d'une négociation et qu'il serait maladroit, voire hasardeux, de proposer un salaire et de ne pas vouloir en démordre. On vous demandera quelle est votre rémunération actuelle : Ne vous amusez pas à « gonfler » le montant de votre fiche de paye : tout se sait ou peut se savoir. Et puis, ce serait mal commencer avec une entreprise que de lui mentir dès le premier jour : mieux vaut expliquer, justifier le montant de vos prétentions et montrer que vous le méritez. Avant cet entretien, vous devez réfléchir à ce que vous désirez obtenir à la fin du mois. Dire « Je ne sais pas » en bégayant ne serait pas très pro. Donnez un chiffre (toujours le montant brut et annuel) qui correspond à 20 ou 30 % de plus que votre ancien salaire. Car vous espérez gagner plus d'argent que précédemment, et c'est logique. Parlez le plus naturellement possible, même si, culturellement, les Français ne sont pas très à l'aise avec ce genre de conversation. Là encore, entraînez-vous si vous avez peur de ne pas être à la hauteur. Demandez par exemple à des amis de jouer le rôle de recruteurs. Ils vous poseront certainement des questions beaucoup plus démoniaques que dans la réalité, et le vrai entretien vous paraîtra plus facile !

S'il est également naturel de demander des précisions sur un éventuel treizième mois, sur les primes, etc., il est tout à fait impensable de parler en priorité des vacances et des RTT. Un postulant, brillamment sorti d'une école de commerce, fou de voile et de week-ends à la mer, qui demanderait, à peine assis, à quelles dates il peut espérer prendre ses congés payés, verrait son compte immédiatement réglé.

Votre entretien s'est bien passé. Vous êtes content de vous. N'allez pas tout gâcher au dernier moment. Ne dites pas : « J'ai récupéré tout le fichier des clients de mon ancien employeur », cela voudrait dire que vous recommenceriez sans problème à la prochaine occasion. Ne vous vantez pas d'avoir fait un procès à la société pour laquelle vous avez travaillé : on pourrait avoir peur de votre goût pour les procédures. Ne racontez pas que votre ancien patron était malhonnête. Dites que vous êtes parti parce que vous aviez l'impression de ne pas évoluer ou mieux que vous êtes curieux de démarrer une activité différente. Si vous avez été licencié, ne dites aucun mal de vos anciens employeurs : le monsieur qui vous fait face est peut-être en étroite relation avec celui qui vous a mis au chômage !

Dès que le recruteur se lève, faites de même. Serrez une nouvelle fois la main en souriant. Remerciez chaleureusement pour cet entretien. Pas de petites blagues douteuses ou qui se veulent drôles pour montrer votre décontraction. La meilleure expression pour saluer est « Au revoir ». Le « M'sieur dames », « Au plaisir », « À plus » et même l'atroce « Bon courage » sont à proscrire de votre vocabulaire.

Le lendemain, envoyez un mail de remerciement pour l'entrevue. Glissez, si c'est le cas, que le poste vous intéresse vivement sans en faire des tonnes. Un recruteur est toujours sensible à ce genre de gestes. Cela vous prendra deux minutes et pourra faire pencher la balance si vous êtes en compétition avec un autre candidat. Si, en revanche, vous n'êtes pas intéressé, le recruteur sera également ravi de l'apprendre et il se souviendra favorablement de vous car vous lui aurez évité d'examiner inutilement votre candidature.

LE WEB ET VOUS

« 59 % des employeurs admettent avoir cherché en ligne des renseignements sur un candidat. 25 % déclarent avoir refusé un postulant à cause de ce qu'ils y avaient trouvé. Dans tous les cas, ce qu'ils y découvrent joue un rôle dans leur décision. »
Site Ars technica

Ne l'oubliez jamais : la technologie c'est « Big Brother ». Elle permet de découvrir beaucoup de choses sur vous : vos amis, vos amours, vos précédents jobs. Un recruteur ne se privera pas d'en faire usage s'il veut en savoir un peu plus sur votre tempérament. Il sait bien que le jeune homme (ou la jeune femme) si sérieux(se) assis(e) en face de lui lors de l'entretien n'est pas tout à fait conforme à ce qu'il (elle) est dans la réalité. C'est un jeu d'enfant pour lui d'aller faire un tour sur un moteur de recherche et d'y taper votre nom. Alors, avant de démontrer à votre futur patron comme vous êtes l'homme ou la femme de la situation, faites le tri dans les photos qui peuvent apparaître sur ces sites communautaires, type « Facebook » ou « Myspace ». Si vous êtes un fêtard invétéré, on pourrait bien vous juger irresponsable. Ce serait fatal pour votre carrière future ! En un clic, on peut aussi découvrir vos orientations religieuses, sexuelles, politiques, bref, toutes ces choses qu'on n'a pas à dévoiler dans un contexte professionnel. Attention aussi au blog. Il peut être lu par absolument tout le monde. Chacun a le droit de rédiger son journal à l'attention de millions d'internautes, cela peut même dans certains cas être utile pour trouver un emploi, mais si vous racontez que vous avez failli vous suicider lors de votre dernier chagrin d'amour, cela pourrait bien vous porter préjudice. Il est donc utile d'aller régulièrement faire un tour sur le Web et d'y taper votre nom. Supprimez ce qui vous paraît trop osé ou inapproprié. Une loi (« Informatique et Liberté ») est censée vous protéger. Malheureusement, vous ne serez pas à l'abri de photos compromettantes mises en lignes par des amis.

Rien ne dit que vous ne trouverez pas de travail parce qu'on a appris, grâce au Web, des traits insoupçonnés de votre personnalité. Que l'on sache, par ce biais, que vous êtes beaucoup plus sympathique ou bien dans votre peau qu'on ne le pensait peut aussi être un atout. Quoi qu'il en soit, faites attention à donner de vous la meilleure des images.

PREMIER JOUR DE TRAVAIL

« You'll never have a second chance
to make a good first impression. »
(Vous n'aurez jamais une deuxième chance
de faire une bonne première impression)
Dicton populaire

Souvenez-vous du jour de la rentrée au lycée.
Finalement, c'est exactement la même chose : excitant et inquiétant. C'est au cours de cette journée qu'il va falloir vous faire connaître du plus grand nombre. Et cela commence par l'hôtesse d'accueil. On lui dit toujours bonjour aimablement, cela va de soi. Il faut de toute façon qu'elle connaisse au plus vite votre visage. N'oubliez pas que cette personne est à une place stratégique : elle connaît tout le monde, suit les allées et venues de chacun et peut vous être utile. Tâchez de connaître son prénom : Un « Bonjour Sylvie, comment allez-vous ? » et elle sera, à coup sûr, dévouée à votre cause.

Pour ne plus être un étranger dans la société, vous allez devoir vous présenter. Non seulement dire votre nom, mais aussi ce que vous faites. D'abord, tout votre étage doit savoir qui vous êtes. Vous en croiserez certains dans les couloirs, à la machine à café (un lieu propice aux rencontres moins formelles). Pour les autres, demandez un rendez-vous. Ne soyez pas timide même s'il est parfois difficile de s'intégrer à un groupe formé depuis longtemps. Ne tapez pas dans le dos de vos nouveaux confrères non plus. On vous posera certainement plein de questions sur vous, votre ancien job : ne dites jamais de mal de votre ancien employeur. Ayez l'air content d'intégrer la société même si vous êtes un peu noué. Dans de nombreux endroits, le tutoiement est de rigueur. Respectez la tradition. Et si l'on vous vouvoie, n'essayez pas de faire le type sympathique en disant « tu » à tout bout de champ. Ce serait maladroit. Naturellement, vous appellerez vos confrères par leur prénom, mais attendez tout de même qu'ils vous le demandent. Vos mots d'ordre : observation et intégration. Sans être un mouton de Panurge, sachez reconnaître les usages de votre nouvelle entreprise.

Si vous êtes du côté de ceux qui accueillent le collaborateur frais émoulu, vous êtes priés de ne pas lui dire dès le premier jour à quel point les gens qui travaillent dans la société sont épouvantables, le patron incompétent et la promotion difficile à obtenir. Bien au contraire, tâchez de le mettre à l'aise. Souvenez-vous de vos débuts et de la manière dont vous auriez aimé que l'on vous reçoive. Soyez disponible, répondez autant que vous le pouvez aux questions que le débutant vous posera, car la première journée dans une société n'est pas une partie de plaisir, au cas où vous l'auriez oublié.

Vous voici installé dans votre bureau. Si vous avez la chance d'avoir un assistant (ou une assistante), mettez-le en confiance, posez-lui des questions. Le tout premier contact est déterminant pour la suite de vos relations : ne lui demandez pas tout de go d'aller vous chercher un café, sous prétexte que dans l'esprit de beaucoup, c'est aussi son travail. Ne vous montrez pas trop raide pour afficher votre autorité. Mais ne soyez pas non plus trop familier ni complice. On peut tout à fait être détendu et carré, sérieux et rassurant avec son assistant comme avec ses collaborateurs. Essayez d'avoir des informations sur la société et établissez un rapport sympathique avec ceux avec qui vous allez travailler sans fausse bienveillance. Posez dès le départ le cadre hiérarchique et le caractère professionnel des choses. Soyez le plus possible d'humeur égale. Raconter le premier jour des blagues pour détendre l'atmosphère et vous transformer en tyran dès le lendemain risque fort de faire baisser votre cote de popularité.

Si vous remplacez quelqu'un, qu'il ait été licencié ou qu'il soit parti de son propre chef, ne dénigrez pas son travail. On se chargera sûrement de le faire pour vous.

COMMUNIQUER

LES PRÉSENTATIONS

« Pour une poignée de main réussie :
- Tenir fermement la main de la personne
que l'on vous présente ;
- Secouer la main au minimum trois fois ;
- Maintenir constamment le contact des yeux ;
- Émettre une aura positive. »
Lilian D. Bjorseth,
experte en communication d'entreprise.

Celui que l'on veut honorer aura toujours les informations le premier. On présente un homme à une femme, la personne la plus jeune à la plus âgée et un confrère à un client. Donnez le prénom puis le nom de la personne que vous voulez faire connaître, même s'il s'agit d'une femme. Celle-ci ne devrait pas être choquée de ne pas se faire appeler « Madame » puisqu'il s'agit ici de relations de travail. Et n'oubliez pas de préciser sa fonction. Faire les présentations comporte plusieurs avantages : les plus timides se sentiront intégrés à votre conversation et oseront plus facilement intervenir ; savoir le nom et l'activité de son interlocuteur permet d'entrer dans le vif du sujet et peut, éventuellement, éviter la gaffe. Dire devant le patron

de l'entreprise Dupont pis que pendre de sa société parce qu'on ignore à qui on a affaire, serait gênant pour tout le monde. Attention à n'interrompre personne pour vous présenter : soyez tout à fait sûr que vous ne dérangez pas. La règle du serrement de main est la même partout : pas de main molle, et l'on regarde son interlocuteur droit dans les yeux.

Si vous ne vous souvenez plus du nom du confrère que vous voulez présenter aux autres, tâchez de vous renseigner discrètement. Si vous êtes coincé, ne paniquez pas. Dites tout ce que vous savez : son rôle dans la société, une anecdote, et priez pour que l'« anonyme » dise son nom de lui-même. Sinon, soyez honnête, confiez que vous avez un trou de mémoire, que vous avez passé une nuit blanche ou qu'Alzheimer vous guette. Débrouillez-vous pour tirer parti de cette « absence » et vous rendre encore plus sympathique et amusant.

Les plus astucieux se souviendront de petites choses sur la vie personnelle de leur interlocuteur : depuis quand il ou elle travaille dans l'entreprise, ses passions, etc. Il est parfois utile de préciser : « Je vous présente Anne Dupont, qui travaille à la société Durand depuis quatre ans. » Non seulement Anne Dupont sera touchée que l'on se souvienne de son parcours, mais l'on aura montré qu'elle n'est pas née de la dernière pluie. Si c'est à vous que l'on présente quelqu'un, levez-vous si vous êtes assis, même s'il s'agit d'un jeune homme. Une femme, elle, n'est pas censée se lever dans un cadre privé, mais il est courant qu'elle le fasse dans un contexte professionnel, se mettant ainsi en position d'égalité avec l'homme.

LE TÉLÉPHONE FIXE

« Au téléphone, soyez patient. La meilleure
manifestation de votre savoir-vivre en affaires,
c'est votre calme et votre sérénité. Vous gagnerez
le respect de votre interlocuteur et ne prendrez pas
de décisions précipitées. »
Neil Payne, consultant en communication.

***Avant d'appeler un confrère, pensez à ce que
vous allez lui dire.*** Soyez concis, concentré sur le sujet qui vous
envoie, parlez clairement, articulez plus que d'habitude et, règle d'or,
celle que l'on devrait apprendre dès la maternelle, sachez conclure une
conversation.

Il est maladroit de téléphoner le vendredi à 19 heures : soit votre
interlocuteur est déjà parti et vous ne pourrez vous empêcher de
marmonner : « Le week-end commence à quelle heure chez Jean
Dupont ? », soit Jean Dupont est toujours là, mais il a peut-être déjà
enfilé son manteau pour rentrer chez lui. À moins d'une urgence
extrême, vous pourrez toujours appeler le lundi matin. Vous n'avez
d'ailleurs pas à connaître les engagements de vos interlocuteurs.
Lorsque la personne que vous souhaitez joindre décroche, demandez

toujours, après vous être clairement présenté, si vous ne dérangez pas. Et si ce n'est pas le bon moment, excusez-vous, proposez un rendez-vous téléphonique et tenez-vous-en là. On ne pourra pas dire que vous avez pris votre correspondant de court. Si vous ne dérangez pas, demandez alors rapidement des nouvelles, histoire de rester courtois, mais que cela ne dure pas plus de trente secondes. Puis entrez dans le vif du sujet. Vous avez peut-être l'impression que tout cela est évident. Réfléchissez tout de même à votre façon de procéder.

Il se peut que votre secrétaire prenne vos appels ou que vous soyez vous-même celui ou celle qui décroche : mettez-vous d'accord tous les deux. Si le patron est très occupé, en réunion, s'il est à la machine à café, s'il fume une cigarette dehors, il faut que son assistante sache quoi dire. Inutile, par exemple, de préciser à l'interlocuteur que le correspondant qu'il recherche est aux toilettes On oublie donc le : « Je vais voir où il est », « Je vais voir si je peux le déranger », « Il n'est jamais là avant 11 heures », « Il sait qui vous êtes ? », « Quittez pas » puis « Il ne peut pas vous parler, il est trop occupé ». On préférera : « Puis-je vous être utile ? », « Il s'est absenté quelques instants, mais je lui demande de vous rappeler au plus vite ». Et, surtout, une bonne assistante doit toujours être aimable. Rien de plus déprimant que de se sentir importun. Elle doit aussi avoir l'air d'être au courant de tout et pouvoir remplacer, autant qu'elle le peut, son patron.

Si vous êtes à l'autre bout du fil, ne prenez pas un ton exaspéré sous prétexte que vous n'avez pas pu contacter la personne que vous souhaitiez. Bien au contraire, remerciez la secrétaire et faites-lui confiance. Ce n'est pas la peine d'ajouter en raccrochant : « Vous êtes sûre qu'il aura mon message ? ». Vous la prenez pour qui ?

Il est toujours mieux d'appeler soi-même un correspondant. C'est évidemment plus cordial que le : « Monsieur Dupont ? Je vous passe Monsieur Durand » d'une secrétaire. À force de vouloir jouer au cador, on risque de se faire des ennemis. Si vous devez passer par votre secrétaire, soyez extrêmement rigoureux : partagez toutes les informations avec elle. Faire rappeler votre interlocuteur par votre assistante pour annuler un rendez-vous car vous avez un double agenda est le signe que vous ne savez pas gérer votre entreprise.

Tous ceux qui répondent au téléphone doivent de toute façon savoir que, même si on ne les voit pas physiquement, on ressentira leur mépris ou leur indifférence (on vous entend tapoter sur les touches de votre clavier tout en parlant), leur énervement (« ouais », « j'vais voir »). Tâchez de sourire dans toutes les situations, le son de votre voix sera (sans que vous en soyez conscient !) plus amical.

Quant aux coups de fil personnels, que dire ? Que téléphoner deux secondes chez soi pour prendre des nouvelles de sa famille passe. Qu'appeler une heure et quart un copain pour lui raconter la soirée de la veille est inadmissible. Mais vous le saviez déjà et vous ne faites certainement pas partie de la seconde catégorie, n'est-ce pas ?

LE PORTABLE

« Manquer de savoir-vivre
en utilisant son téléphone portable
peut ruiner une carrière. »
Kate Zabriskie,
coach en savoir-vivre d'entreprise

Vous voulez joindre et être joint à toute heure du jour et de la nuit. C'est bien le problème : tout le monde n'est pas comme vous. Avez-vous le droit d'appeler un collaborateur avant 9 heures du matin ou après 20 heures sous prétexte qu'il faut boucler un dossier ? Les avis sont partagés. Il me semble que chaque individu a droit à son intimité. Et si, si, je vous le jure, il peut arriver que l'on oublie sa carrière en sortant de son bureau. Avant d'appeler un collaborateur à des heures indues, demandez-vous si le jeu en vaut la chandelle. Vous pourriez déprimer le plus rigoureux d'entre tous si vous le contactez alors qu'il dîne avec sa fiancée. Sans compter que, dans la panique, il pourrait répondre de travers à vos questions. Utilisez votre téléphone portable avec parcimonie et ne vous prenez pas, grâce à ce petit objet magique, pour le maître du monde.

Pensez à changer de temps en temps le message d'accueil que vous enregistrez sur votre portable à l'adresse de vos correspondants. En effet, entendre sans cesse, sur le même ton monocorde, que vous n'êtes pas disponible peut finir par les rendre fous. Soyez sobre mais gai (enregistrez le message en souriant, c'est imparable !), donnez votre nom pour que l'on soit sûr d'avoir composé le bon numéro et soyez bref : on ne veut pas savoir précisément pourquoi vous ne pouvez pas répondre. Vous pouvez indiquer l'heure à laquelle on pourra vous joindre s'il y a urgence. Attention pourtant à l'effet pervers du portable : il est censé vous rendre joignable à tout moment, mais, si vous l'utilisez comme répondeur pour filtrer vos appels et répondre quand bon vous semble, vous passerez pour un malotru. Rien de plus contre-productif que de passer son temps à laisser des messages ou à en écouter, ce serait même le signe d'un manque de disponibilité de part et d'autre. Ce n'est pas l'image que vous voulez renvoyer, n'est-ce pas ? Si, en revanche, vous pouvez décrocher, n'oubliez pas de prendre votre meilleure voix même si vous êtes de mauvaise humeur. Vous reconnaissez le numéro qui s'affiche mais vous êtes dans le métro ? Peut-être vaut-il mieux ne pas prendre l'appel plutôt que de faire répéter dix fois votre interlocuteur ou, pis, ne pas comprendre un mot de ce qu'il vous raconte. D'autant que les autres voyageurs n'ont pas à entendre votre discussion, surtout si elle est confidentielle.

Il faut savoir aussi qu'un portable s'éteint. Pour certains, appuyer sur la touche arrêt de leur mobile constitue un sacrifice insurmontable, une frustration atroce. Cependant, c'est toujours ce que l'on devrait faire quand on est en rendez-vous. Sinon, imaginons la scène : la personne que vous attendez entre dans votre bureau. Votre portable sonne, vous prenez l'appel et

regardez votre visiteur droit dans les yeux alors que vous parlez avec quelqu'un d'autre. Éventuellement, vous riez, vous réagissez : vous êtes un grossier personnage. Autre scène : vous êtes dix dans une pièce en réunion, votre portable sonne, vous décrochez et dites : « Je suis en conférence », ce qui est passionnant. Vous interrompez tout le monde. Pis, vous sortez de la pièce et, si vous pensez que neuf personnes vont attendre votre retour, vous êtes aussi naïf qu'irrespectueux.

Vous voici cette fois au restaurant. Le plat principal arrive et votre portable sonne. Vous décrochez et vous voilà parti dans une longue conversation. Votre invité attend, son plat est froid, il s'ennuie ferme et se jure bien de ne plus jamais déjeuner avec vous. Si vous ne pouvez éviter un coup de fil urgent, excusez-vous puis levez-vous. Vous devez sortir du restaurant pour discuter.

Chaque fois que vous êtes en rendez-vous professionnel, éteignez votre portable. Si vous avez oublié de le faire et qu'il sonne, regardez éventuellement qui cherche à vous joindre. Puis coupez-le une bonne fois pour toutes.

LE TEXTO

« Quand une personne prend le temps de vous rencontrer, elle mérite toute votre attention. Elle ne doit pas se retrouver à contempler le sommet de votre crâne tandis que vous vérifiez ou envoyez des SMS. C'est irrespectueux et grossier. »
Mary White,
« American small business News »

Une fois encore, soyez concis. Je vous rappelle que SMS veut dire *short message system* : service de message court. Vous l'aurez compris : n'écrivez pas un roman sur votre portable. Tâchez de ne pas faire de fautes d'orthographe sous prétexte que vous écrivez à toute vitesse. Utilisez des abréviations avec parcimonie et uniquement si elles sont compréhensibles.

Un SMS est comme un coup de fil. N'écrivez rien devant un collègue, un patron ou le pape, votre texto attendra que vous soyez seul. En réunion, pensez à celui qui prend la parole. Croyez-vous qu'il est agréable d'exposer son dossier à un public de têtes baissées, concentrées sur le message qu'on leur transmet ou auquel ils répondent ? D'autant que ces charmants collaborateurs lui poseront plus tard des questions prouvant qu'ils n'ont pas suivi ce qui se disait autour de la table. Une attitude méprisante pour celui qui s'est donné du mal à préparer son rapport. Il aura, en outre, la sensation que les vrais problèmes se sont réglés ailleurs, par l'intermédiaire de la petite boîte magique et se sentira, de toute évidence, exclu. Cela vaut aussi pour un patron qui, même débordé, devra se concentrer comme les autres. Cette situation s'est empirée depuis l'apparition des Blackberry et autres iPhone où l'on peut recevoir ses mails où que l'on soit. Du pain bénit pour tous ceux qui pensent perdre du temps quand ils ne communiquent pas ! La technologie aura, au bout du compte, fait beaucoup de mal au savoir-vivre.

Méfiez-vous de la familiarité d'un SMS. La brièveté d'un texto peut créer des malentendus. Quelques mots anodins peuvent se transformer, si l'on n'y prend garde, en message trop affectueux, voire ambigu, ou, au contraire, d'une agressivité involontaire.

Enfin, n'envoyez jamais, au grand jamais, le même SMS à tout votre répertoire au moment des vœux, par exemple. Un « Très bonne année à vous » sans personnalisation aucune, et l'on aura bien compris que ces souhaits si charmants sont adressés aussi bien à Monsieur Dupond qu'à nous-même. Vous pensiez avoir fait preuve de perspicacité ? Eh bien non, vos cent cinquante interlocuteurs n'ont que faire de votre pseudo-intérêt pour eux !

L'E-MAIL

« *Votre courrier électronique engage votre image
professionnelle autant que les vêtements
que vous portez, les lettres que vous écrivez,
le ton de votre voix sur votre messagerie vocale
et la poignée de main que vous offrez.* »
Lydia Ramsey,
experte en savoir-vivre professionnel

La tentation de ne plus communiquer oralement
est grande. Il y a des jours où l'on n'a pas envie de parler. Mais attention à ne pas systématiser l'usage des mails, il est important de savoir s'exprimer par la parole. Attention aussi à ne pas devenir dépendant, en attente permanente d'un message. Le mail peut devenir une drogue dure et les « accros », perpétuellement frustrés, en perdent parfois leur sang-froid.

Lorsque l'on rédige un e-mail, il faut toujours avoir en tête qu'il n'est au fond pas si différent d'une lettre écrite sur du papier et envoyée par la poste. Le support n'est pas le même, mais que cela ne vous empêche pas de respecter quelques règles de base. Messages électroniques ou pas, faites attention à votre orthographe. Ce n'est pas parce qu'il s'agit de travail et qu'il faut être rapide et efficace que l'orthographe importe peu. Dix fautes par phrase et l'on se

demandera si ces erreurs sont dues à votre manque de courtoisie, à une certaine incompétence ou à votre précipitation. Relisez toujours ce que vous venez d'écrire. Aidez-vous du correcteur automatique de votre ordinateur ou d'un dictionnaire, oui, ce gros volume est toujours en vente en librairie et il devrait secourir les plus mauvais élèves. Si vous avez des doutes sur une règle grammaticale, changez la forme de votre phrase : ni vu ni connu. Et adoptez un rituel simple mais qui vous évitera bien des tracas : plutôt que de répondre du tac au tac et en un clic, enregistrez votre message avant de l'envoyer quelques minutes plus tard en prenant soin de vérifier à tête reposée que le contenu n'est pas maladroit, qu'il est clair, diplomatique et efficace et que le destinataire est bien le bon ! Que celui qui n'a jamais envoyé un mot à la mauvaise personne ou répondu un peu trop vertement à un mail courtois me jette la première pierre.

Sachez être clair. Avant d'envoyer votre message, soyez sûr que vous avez tout dit. Cela vous évitera d'envoyer un autre mail, puis un autre jusqu'à ce que votre exposé soit complet. Le destinataire se perdra dans toutes ces missives et finira par n'y plus rien comprendre. Il pourra même avoir de sérieux doutes sur votre esprit de synthèse et d'organisation. Si vous vous donnez un peu de mal, je suis sûre que ce que vous dites en deux pages peut être résumé en une seule. Ne soyez pas ironique, évitez l'humour. Votre interlocuteur, au cas où vous l'auriez oublié, ne vous entend pas. Il ne fait que vous lire. Vous n'avez pas pour vous aider votre incroyable charme, votre manière si particulière de parler avec les mains, votre don d'imitation qui fait tellement rire. Si vraiment vous ne pouvez pas vous en empêcher, achevez vos phrases pleines d'esprit par un point d'exclamation. Enfin, si vous connaissez suffisamment bien la personne à qui vous vous adressez, finissez par une note sympathique et (un peu) personnelle. Prenez, par exemple, des nouvelles de sa famille ou de ses confrères si vous les connaissez. Les formules finales de politesse ne doivent pas être obligatoirement alambiquées : un « Cordialement » (quand on ne s'est jamais vus) ou un « Bien à vous » (quand on s'est déjà rencontrés) feront l'affaire.

Évitez les échanges interminables, les allers et retours de mails qui ne font que rendre les choses plus compliquées. Sur un sujet difficile et qui invite au débat, le mail ne remplacera jamais un dialogue direct. Et puis, ne bombardez pas vos subordonnés de demandes, recommandations, tâches tout au long de la journée. Organisez-vous pour grouper vos requêtes une fois par jour. Et, en cas de doute, je vous rappelle que rien ne vaut le face-à-face, quitte à résumer votre entretien par mail pour être sûr d'avoir été compris.

La case « Objet : » : il est indispensable de bien la renseigner. Un « Objet : réunion du 15 mai » est toujours plus fructueux qu'un « Objet : Bonjour ! ». Certains de vos correspondants reçoivent jusqu'à 500 messages par jour : soyez sûr que votre « Bonjour ! » sera le dernier à être ouvert, à supposer qu'il le soit. Tâchez de sélectionner attentivement les bons destinataires de vos messages. S'il est important qu'une dizaine de personnes soient informées, placez-les en copie conforme (Cc :), mais n'envoyez pas vos mails à toute la société sous prétexte que plus nombreuses sont les personnes au courant, mieux c'est. Pour la confidentialité : notez les noms en copie cachée (Cci :), ainsi les destinataires ne verront pas à qui vous adressez votre message et n'auront pas accès à leur adresse électronique. On peut attribuer une priorité aux messages si cela en vaut vraiment la peine, mais ne le faites pas systématiquement, vous ne serez plus crédible. Dernière recommandation : écrire en majuscules équivaut à crier en langage internaute. Utilisez toujours la minuscule afin que votre interlocuteur n'imagine pas que vous êtes furieux contre lui !

Sachez une bonne fois pour toutes que l'on n'envoie pas à tout son mailing des photos personnelles (celles de votre mariage, de votre nouveau-né, voire de vos vacances !). Demandez-vous une seconde si elles intéressent votre réseau professionnel. Dans le cas contraire, vous risqueriez d'être la risée de vos collaborateurs et de vos clients et passeriez pour un narcissique un peu ridicule. Attendez que l'on vous demande de voir les photos de ces événements avant de les envoyer.

Refusez systématiquement de participer à ces chaînes qui vous somment d'envoyer leur message à dix personnes sous peine que vos chances dans la vie soient réduites à néant. Au diable les superstitieux, vous ne transférerez rien du tout. On n'envoie pas non plus des images rigolotes, des blagues ou autres méditations du dalaï-lama à longueur de journée. Lorsqu'on travaille sur un dossier important et qu'on s'interrompt pour consulter ses mails, ce n'est pas pour perdre son temps avec des âneries. Lire « Sois heureux, toi qui lis ces lignes », puis dix minutes après « c'est l'histoire d'une blonde qui... » alors qu'on se concentre sur un bilan très compliqué, voilà de quoi s'énerver. Cela peut même provoquer une certaine agressivité et vous donner une réputation d'oisif, facile à propager. Le pas est vite franchi. On vous aura prévenu.

LA CARTE
DE VISITE

« Une carte de visite professionnelle
est un symbole de la personne ;
il faut la traiter avec déférence. »
Lydia Ramsey,
experte en savoir-vivre professionnel.

Votre carte doit être sobre. Gravée sur du beau papier, elle sera bien sûr plus élégante qu'une carte photocopiée. Ne tentez pas les typographies amusantes ou originales. Non, non et non. Utilisez le caractère bâton, le plus classique mais aussi le plus chic. Il vaut mieux rester simple et consensuel plutôt que risquer de déplaire à ceux qui ne partagent pas vos goûts pour les fioritures graphiques. Une carte doit toujours être immaculée, on ne tend pas un bristol déformé par une mauvaise pliure dans un portefeuille ou jauni par un long séjour sur un bureau.

Les cartes de petit format (8,5 cm x 5,5 cm) sont faciles à caser dans une poche ou dans un portefeuille et sont censées donner toutes les informations nécessaires. Les Américains appellent cela des *business cards* et c'est, en effet, la meilleure définition de cet objet.

Veillez à quelques détails de présentation. Votre nom d'abord. Ne faites pas graver « Monsieur » ou « Madame », mais votre prénom

suivi de votre patronyme, votre titre dans la société, votre numéro de téléphone direct, votre adresse mail et le fax, l'adresse postale et de rendez-vous de l'entreprise. Certains ajoutent leur numéro de portable. Vous pouvez aussi occasionnellement l'écrire à la main, c'est à vous de voir : chacun organise sa vie privée comme il l'entend !

À présent, n'hésitez plus à distribuer votre carte partout et à tout le monde. Il fut un temps où ce n'était pas très bien vu mais, aujourd'hui, personne ne vous accusera de faire du forcing. Les Américains, maîtres en la matière, tendent leur carte dès qu'ils se présentent. C'est la façon la plus simple de savoir, sans se tromper, à qui l'on a affaire. Et ce geste prouve aussi votre curiosité et votre désir de communiquer avec les autres. Ayez donc toujours les poches pleines pour ne pas être pris au dépourvu. N'oubliez pas d'en faire imprimer dès que votre stock s'amenuise. Lorsque vous changez de service ou même de société, utilisez-les comme brouillons ou marque-pages ! Il faut toujours donner à vos interlocuteurs des informations précises et actualisées.

Si votre titre professionnel est incompréhensible pour le néophyte, tâchez de trouver une formule claire pour que l'on comprenne au plus vite votre rôle dans la société. Dernière chose : trouvez toujours (en accord avec votre patron) la tournure la plus flatteuse pour votre poste. Cela sera utile à votre entreprise aussi bien qu'à vous-même car une simple carte de visite peut ouvrir bien des portes.

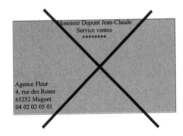

LA LETTRE

« La manière dont vous écrivez
une lettre peut avoir un impact sur le succès
de l'affaire que vous traitez. »
Neil Payne,
consultant en communication

Faites un test : prenez un stylo et écrivez juste une phrase. C'est difficile, non ? C'est même fatigant à la longue. Votre écriture ne ressemble plus à rien ? Normal, vous n'avez pas utilisé de plume depuis trop longtemps. Et pourtant, il faudrait peut-être songer à vous y (re)mettre.

Écrire une lettre n'est pas banal. C'est devenu un signe de respect, une manière raffinée de communiquer. Oh ! On ne vous demande pas de correspondre ainsi tous les jours, mais dans certaines occasions qui s'y prêtent, n'hésitez pas. Vous vous démarquerez ainsi par votre délicatesse. Cela peut être, par exemple, un mot de remerciement : vous avez été invité à déjeuner ? Un client vous a rendu service ? Vous avez reçu un cadeau ? C'est le moment. Et ce sera beaucoup plus élégant que d'envoyer un mail ou un SMS. Personne ne vous oblige à vous creuser la tête ou à écrire un roman. Un petit mot manuscrit sera déjà très apprécié.

Pour cela, prenez une carte de visite grand format, barrez votre nom, montrant ainsi que c'est un mot amical et pas seulement professionnel, dites en quelques mots votre reconnaissance et signez de vos initiales. Si votre société a du papier à lettres à entête, utilisez-le. Datez votre lettre en haut, à droite de la page, et signez lisiblement. On ne le répétera jamais assez, votre correspondant n'a pas à déchiffrer pendant des heures votre signature. Contrairement au mail, il faut savoir utiliser au mieux ici les formules de politesse. Les exemples donnés en page suivante devraient vous être utiles.

Relisez-vous toujours, les fautes d'orthographe ou de syntaxe sont encore moins admissibles lorsque vous écrivez à la main. Là encore, utilisez un dictionnaire ! Espacez vos lignes, laissez une marge à gauche comme à droite, forcez-vous à ne pas écrire en pattes de mouche. Pensez que votre correspondant doit savourer votre lettre et ne pas vous maudire car il n'y comprend rien, même si c'est votre façon bien à vous de dissimuler vos maladresses et vos fautes d'orthographe ! Sachez que vos efforts seront récompensés : depuis l'apparition du courrier électronique, correspondre par écrit est devenu une chose si rare, si précieuse, que votre destinataire sera flatté et sensible au respect que vous lui témoignez.

Vous êtes une femme

Pour une dame que vous connaissez peu, commencez par :
« Madame » *(même si elle est célibataire, vous n'êtes pas censé être au courant de sa vie privée). Et finissez par :* « Croyez, Madame, à l'expression de mes sentiments les meilleurs. »
(On admet à présent qu'une femme envoie ses « sentiments ».)

Pour un homme plus âgé, commencez par : « Monsieur » *Et finissez par :* « Veuillez agréer, Monsieur, l'expression de mon profond respect. »

Pour une femme ou un homme que vous connaissez bien,
commencez par : « Chère Catherine » ou « Cher Pierre »
Et finissez par : « Croyez, chère Catherine (ou cher Pierre), à l'assurance de mon amical souvenir. »

Tout comme les lettres manuscrites, les lettres dactylographiées doivent être impeccables. Zéro tolérance aux fautes. Utilisez des feuilles au format A4 et des enveloppes assorties au papier. Si ce n'est pas vous qui tapez la correspondance, demandez à relire votre texte et tâchez d'accompagner votre signature manuscrite d'un mot plus personnel. Par exemple, si vous envoyez un courrier très formel à un confrère ami, vous pouvez ajouter « avec mon amitié » à la formule de politesse un peu conventionnelle. Lors de vos absences, votre assistante peut sous votre dictée rédiger un courrier

Vous êtes un homme

Pour une dame que vous connaissez peu :
« Je vous prie d'agréer, Madame,
l'expression de mes respectueux hommages. »
*(Une femme, je vous le rappelle, n'envoie jamais ses hommages ni à un homme,
ni à une femme.)*

Si vous la connaissez bien : « Croyez, chère Catherine, à mes
sentiments les meilleurs. »

Si vous écrivez à un supérieur : « Je vous prie de croire,
Monsieur, à l'assurance de tout mon respect. »

Pour un confrère ou un homme de votre génération : « Croyez, Monsieur,
à mes sentiments les meilleurs. »

Vous n'oublierez pas d'ajouter le titre de votre correspondant, s'il le faut. Ainsi,
« Monsieur le Président »,
« Monsieur le Directeur » *est de mise.*

de votre part. Elle devra alors indiquer au bas de la page : p/o (par ordre) et signer pour vous. On aura compris que même si vous n'étiez pas là physiquement, cette lettre est bien de vous.

Oubliez les formules toutes faites et malheureuses comme « Suite à notre entretien du » et ne commencez jamais par « Je ». Préférez : « Comme nous l'avions convenu », par exemple.

LA CARTE DE VŒUX

*« Plus vos clients sont importants,
plus il est indispensable de faire l'effort
de leur envoyer une carte de vœux.
C'est une bonne occasion d'entretenir
des relations plus personnelles avec eux. »
Lydia Ramsey,
experte en savoir-vivre professionnel.*

Cela ne se fait plus beaucoup et c'est justement pour cela que vous vous distinguez des autres sociétés. Une carte de vœux vous paraîtra peut-être désuète. Sachez qu'elle est toujours la marque d'un certain raffinement et que plus elle est rare, plus elle est appréciée !

Personnalisez toujours vos cartes de vœux. Sauf si vous travaillez au service communication de votre entreprise, vous n'aurez pas choisi celles que vous enverrez à vos relations d'affaires. Elles ne seront peut-être pas à votre goût (hélas !) mais vous devrez faire avec. Ces cartes offrent le plus souvent une formule déjà imprimée du type « La société Tartempion vous présente ses vœux pour la nouvelle année ». C'est très bien, mais ça ne doit surtout pas

vous dispenser
d'ajouter un mot à
la main. Si vous ne
personnalisez pas votre
envoi, le destinataire pensera
que vous ne savez pas à qui vous adressez
vos vœux et que c'est votre compétente secrétaire qui le fait pour
vous. Autant dire qu'ils sont une formalité, dénuée de toute sincérité. Alors que ce petit geste d'amitié, qui ne vous prendra pas un
temps fou, est une excellente manière de renouer des contacts.
Des relations, mêmes perdues de vue, pourront être touchées
d'avoir de vos nouvelles.

Aujourd'hui, beaucoup de sociétés font le choix de la carte de vœux électronique. Il est triste de penser que même pour ce courrier exceptionnel (ça n'arrive qu'une fois par an !) on n'utilise ni papier ni enveloppe. Là encore, la règle est la même : n'envoyez rien par mail sans une petite note personnelle.

La bienséance dit que l'on peut présenter ses vœux jusqu'à la fin du mois de janvier. À mon avis, mieux vaut le faire bien avant. N'attendez pas d'en recevoir d'un confrère pour lui répondre ; prenez l'initiative ! Établissez une liste de tous ceux à qui vous voulez faire un signe amical, afin de n'oublier personne. Et de mettre à jour votre carnet d'adresses qui est peut-être obsolète.

À défaut de cartes prévues à cet effet, vous pouvez prendre une de vos cartes de visite et écrire un petit mot. En revanche, il est maladroit d'envoyer une carte de vœux professionnelle à un ami avec qui vous n'avez jamais travaillé. Gardez ces cartes pour vos clients ou vos confrères. Pour vos proches, c'est à vous de voir, mais si vous avez, cette année, envie de faire un effort, vous trouverez de très jolies cartes dans le commerce. Vos amis seront bluffés !

LE JARGON

« Votre pouvoir de persuasion passera
par votre chaleur et votre honnêteté,
pas par vos expressions à la mode. »
Heidi La Flèche,
spécialiste des Newsletters

Il y a mille manières de s'exprimer. Utiliser un jargon incompréhensible pour épater le chaland, des anglicismes pour faire le malin, employer des mots grossiers à tout va à la moindre contrariété : tout cela est ridicule et dangereux. Attention à ce que vous dites, les murs, pas toujours charitables, ont des oreilles.

Votre ordinateur tombe en panne, vous appelez un réparateur. Il vous parle gentiment et pourtant, vous avez des envies de meurtres. Pourquoi ? Parce que vous ne comprenez pas un mot de ce qu'il vous raconte. Il utilise un jargon technique inintelligible pour un néophyte comme vous. C'est à peu près ce que peut ressentir votre interlocuteur quand vous lui exposez un dossier avec le vocabulaire spécifique à votre domaine d'activité. Rien de plus impoli que de croire que tout le monde sait ce qu'est un scrolling ou la reconfigurabilité d'un réseau de bout en bout. Non, il ne sait pas et se sent, d'un coup, complètement à côté de la plaque.

Ne pensez pas impressionner en vous servant de ces expressions pseudo-professionnelles : vous paraîtrez ridicule et pédant. De la même façon, n'utilisez pas le *name dropping*, cette façon un peu grotesque de glisser dans la conversation le nom de vos « amis » réputés pour montrer que vous n'êtes pas n'importe qui et que vous connaissez du monde ! Dans certains milieux, un autre langage est fréquemment employé : une espèce d'anglais savamment mélangé au français. « Quel est le *pitch* ? » « J'organise un *brainstorming* cet après-midi », « On fait un *corridor testing* ? » et j'en passe. Beaucoup s'imaginent que cette façon de parler donne d'eux l'image d'un businessman averti. Mais la plupart du temps, ils font plutôt vaguement penser à un certain Jean-Claude Van Damme : dois-je vous faire un dessin ou êtes-vous *aware* ?

En revanche, il existe un langage d'entreprise auquel il va vous falloir vous familiariser rapidement. Il serait inadmissible que vous ne compreniez pas une question posée par un collègue parce que vous ne savez pas ce que « IRP » (Institutions Représentatives du Personnel !) signifie. Il faudra même employer ce jargon le plus souvent possible à l'intérieur de la société. C'est une façon comme une autre d'y être intégré. Tout comme accepter de se faire appeler « ma chérie » à tout bout de champ par ses collaborateurs si c'est le genre de la maison. Vous détestez ça ? Tant pis pour vous, vous devrez l'accepter sans pour autant être obligé de faire la même chose. Passer pour « la pédante du troisième étage » ne serait pas bon pour votre carrière ! Faites attention aux gros mots, même quand vous êtes seul et que vous vous battez contre votre ordinateur. La grossièreté, là encore, fait partie de la culture d'entreprise. Dans certaines sociétés, un simple « merde » est considéré comme une grave faute professionnelle. Dans d'autres pas. Sachez alors faire attention à vos emportements et utilisez la grossièreté avec parcimonie. Le stress envahit l'élément le plus calme d'une équipe lorsque la charge de travail est démesurée. Si vos collègues ont pris l'habitude de jurer à tout bout de champ, vous n'êtes pas obligé de les imiter. Mais vous pouvez, de temps à autre, vous permettre un petit écart de langage. Par pitié, si vous êtes vraiment énervé, allez-y carrément et ne dites pas « mince », « flûte » ou autres petites expressions désuètes : cela ne vous soulagera pas et vous pourriez passer pour un falot. Si, au contraire, vous n'avez jamais entendu la moindre grossièreté dans les couloirs, c'est que cela ne se fait pas dans votre entreprise et si vous vous y mettez, vous pourriez choquer tout le monde. On ne dira jamais assez combien il faut « coller » à l'image de la société dans laquelle on travaille. Prenez sur vous si vous êtes d'un naturel impulsif, trouvez des trucs pour n'offusquer personne. Un « Oh la la » vaut mieux qu'un « merde » : il faut juste un peu d'entraînement !

LES TICS
DE LANGAGE
ET AUTRES FAUTES
DE FRANÇAIS

« Les tics de langage sont des mots
ou expressions que nous utilisons tout le temps,
et parfois inconsciemment.
Ils rendent nos discours confus et nous font
paraître moins attentifs, moins intelligents
que nous le voudrions. »
Derrick Moe,

recruteur de commerciaux.

———————————

Les tics de langage envahissent notre vie. « J'ai envie de dire »,
« Y a pas de souci », « Tout à fait », « Hallucinant », « C'est clair »,
quelques exemples, parmi beaucoup d'autres, d'expressions toutes
faites que l'on entend, au bas mot, vingt fois par jour.

Le français est une langue riche et nous savons à peu près bien
la pratiquer. Nous avons un choix immense de formules à utiliser
mais nous ne le faisons jamais. Pourquoi ? Parce que ces nouvelles
expressions sont dans l'air du temps, qu'on les entend sans arrêt à la

télévision ou à la radio et que l'on a peut-être l'impression de paraître plus jeune en les utilisant. Mais est-ce vraiment le cas ? Parlez
comme votre fils de onze ans et demi vous rendra peut-être original
dans votre entreprise mais pourrait vous faire paraître ridicule ou
agaçant. Exercez-vous à enrichir votre vocabulaire, cela ne pourra
qu'améliorer votre image Employez des mots précis, élégants,
pourvu qu'ils ne versent pas dans le précieux, ne peut que contri-
buer à montrer votre compétence et à vous faire respecter. Si
vous dites : « Je mesure les risques encourus » plutôt que « Je vois

pourquoi ça craint », vous employez un vocabulaire normal, même s'il est parfois délaissé. Si vous cherchez le mot juste et pas « cliché », vous serez même plus efficace.

« J'ai envie de dire » ne veut absolument rien dire, justement. Car si on a envie de dire quelque chose, il faut y aller. Votre interlocuteur n'a que faire de vos (fausses) hésitations. « Y a pas de souci », ou pire « No soucy », élue championne du monde des formules affreuses, formules d'ailleurs assez récentes puisque jusqu'ici on utilisait beaucoup plus souvent le terme « problème ». Le mot « souci » a sans doute une connotation plus branchée. Autre palme avec « Y a un souci » qui, pour une raison que je n'ai pas encore élucidée, me fait dresser les cheveux sur la tête de manière incontrôlable.

« Tout à fait » veut dire « oui ». Mais pour certains ne dire que « oui » est inacceptable. Comme si cette affirmation, on ne peut plus transparente, se transformait en hésitation. Si l'on vous pose une question claire, un « oui » peut devenir, je vous assure, une réponse claire.

Nous avons tous vu le charmant mot « hallucinant » débarquer dans notre vocabulaire sans même nous en rendre compte. Il est pratique, on peut s'en servir à toutes les sauces : « J'ai un boulot hallucinant » (négatif), « Ton nouvel ordinateur est hallucinant » (positif). Tout cela est très lassant, sachant qu'il existe une multitude de qualificatifs qui veulent dire à peu près la même chose. Et oubliez aussi le « J'hallucine », carrément atroce. Ne vous laissez pas influencer par les médias pour vous exprimer. Utilisez les bonnes vieilles expressions qui ont fait leurs preuves. Si vous ne faites que copier les autres, on oubliera complètement que vous aussi, vous pouvez être inventif. Pensez, si cela vous amuse, à ces expressions familiales ou

À ne pas dire	À dire
Je ramène le dossier	Je rapporte le dossier
Je pars à Béziers	Je pars pour Béziers
Je vais manger	Je vais déjeuner
Bon appétit	On ne dit rien !
Ce midi	À midi
À vos souhaits	
(en cas d'éternuement !)	On ne dit rien !
Vous êtes sur Paris ?	Vous êtes à Paris ?
Au plaisir	Au revoir
Enchanté	Je suis ravi de faire votre connaissance
Un espèce de…	Une espèce de...
Ça pose problème	Ça me pose un problème

régionales que personne ne connaît et qui pourraient amuser vos confrères. Pour ma part, j'aime citer des mots tout à fait incompréhensibles, un patois bourguignon d'un autre temps et, quand je réponds « rendatiou » à un collaborateur, j'aime voir son regard éberlué. « Rendatiou », pour ceux qui ne le sauraient pas, veut dire « Rien du tout » en bourguignon. N'est-ce pas plus joli que « Que dalle » ?

On ne vous parlera pas ici des expressions inspirées par les adolescents mais formulées par des quadragénaires : « C'est trop bien », « Clairement », « C'est juste incroyable », qui, à force d'être répétées à longueur de journée, et si vous n'y prenez pas garde, feront illico partie de votre répertoire. Évitez les tics de langage, même s'ils ne reflètent pas forcément une mode. Commencer par exemple systématiquement ses phrases par un « C'est drôle mais » risque, au bout d'un moment, de ne plus faire rire du tout.

Les fautes de français sont pléthore et il est toujours délicat, voire impossible, de corriger un collègue, voire son patron, qui pourrait mal le prendre. En revanche, il peut être envisageable, si on sait s'y prendre, de donner, sans en avoir l'air, des conseils aux plus jeunes. Lorsqu'un stagiaire ou un assistant vous répète : « Je vais manger », vous pouvez lui répondre : « Moi aussi, je vais déjeuner. » S'il est malin, il comprendra assez vite le message. S'il vous dit « Bon appétit » en arrivant au restaurant d'entreprise, et que vous ne lui répondez jamais, il saisira aussi que c'est une expression qu'il ne devrait pas utiliser. Ne culpabilisez pas, car parler un français correct lui servira dans sa carrière future.

Si tout le monde fait ces erreurs autour de vous et que vous n'osez rien dire, soyez patient, ne vous faites pas mal voir en rabrouant le malheureux qui ne connaît pas certaines règles, mais ne vous fondez pas dans la masse pour autant. Vous savez, vous, que vous parlez un français impeccable et vous n'y dérogerez pas !

DÉJEUNERS, VOYAGES
ET AUTRES FÊTES
DE FIN D'ANNÉE

Le petit déjeuner professionnel

Le déjeuner d'affaires

Recevoir chez soi

La fête de fin d'année

Le départ à la retraite

Voyage d'affaires et séminaire

LE PETIT DÉJEUNER PROFESSIONNEL

« Lors d'un petit déjeuner professionnel,
il n'y a pas de temps à perdre. Vous pouvez
commencer à parler affaires à peine
vous a-t-on servi le café. »
Extrait d'un cours de l'Université d'Iowa

Parce qu'il ne coupe pas la journée, qu'il ne peut être que rapide, que l'on a l'esprit plus clair le matin, le petit déjeuner professionnel est une bonne formule pour parler affaires.

Lorsque vous donnez rendez-vous à un client, soyez attentif au chemin qu'il devra parcourir pour arriver jusqu'à vous. Essayez de trouver un lieu plutôt proche de son bureau puisque c'est vous qui le sollicitez. Attention à l'horaire : trop tôt, il trouvera un prétexte pour ne pas se réveiller aux aurores. Ne lui proposez donc pas de vous rencontrer à 7 heures du matin. Car, si l'avenir appartient à ceux qui se lèvent tôt, certains pensent que l'avenir appartient à ceux qui sont en pleine forme. Tâchez de sentir à qui vous avez affaire. Neuf heures me semble un horaire correct. Quoi qu'il en soit, soyez ponctuel ! L'avantage des petits déjeuners est qu'ils ne s'éternisent pas, tout en restant sympathiques. Comptez une heure et demie au maximum entre le moment où vous arrivez et celui où vous retournez au bureau.

Attaquez le sujet qui vous tient à cœur assez rapidement sans faire de longs préambules. Votre interlocuteur a lui aussi un emploi du temps chargé et vous saura gré de ne pas tergiverser. Si vous êtes invité, et même si votre interlocuteur vous propose de choisir ce que vous souhaitez sur la carte, ne soyez pas grossier en essayant tout ce que l'on y trouve. Il existe en général une formule spéciale petit déjeuner qui vous évitera de passer des heures à hésiter entre les tartines et les viennoiseries. Même si vous êtes incapable d'avaler quoi que ce soit le matin, il est plus correct de grignoter quelque chose, pour ne pas laisser la personne en face de vous dévorer seule son croissant au beurre. En partant, remerciez évidemment celui qui vous a invité, mais rien ne vous oblige à exprimer votre reconnaissance éternelle. Contrairement au déjeuner (même s'il est de plus en plus rare que l'on remercie pour un déjeuner professionnel), le petit déjeuner est considéré comme un rendez-vous informel : un simple « merci » en partant est largement suffisant. Si vous êtes celui qui invite, remerciez votre hôte de s'être déplacé.

LE DÉJEUNER D'AFFAIRES

« Bien vous tenir à table contribuera largement à l'impression que vous ferez. C'est la part immédiatement visible de votre façon d'être, essentielle à de futurs succès. »
Balla State, université d'Indiana

———

Un déjeuner d'affaires demande un peu d'organisation. Faites en sorte que ce soit un moment agréable, mais aussi utile, pour vous comme pour votre invité. À l'instar du petit déjeuner, il devra se dérouler dans un endroit commode pour la personne que vous avez conviée et pour vous-même afin de ne pas y passer la journée ! Mais si quelqu'un doit perdre une heure pour s'y rendre, désolée de vous le dire, c'est vous ! Sinon, vous risqueriez, en outre, d'être décommandé à la dernière minute par votre client découragé par le trajet à effectuer pour vous rejoindre ou, tout simplement, de le voir arriver très en retard. Vous, c'est évident, vous serez toujours à l'heure, voire en avance, afin de ne jamais le faire attendre.

Lorsque vous avez trouvé le lieu idéal (calme pour discuter, connu pour ses bons petits plats), réservez une table. Précisez, s'il le faut, celle que vous préférez. Si vous êtes un habitué, on ne pourra pas vous la refuser.

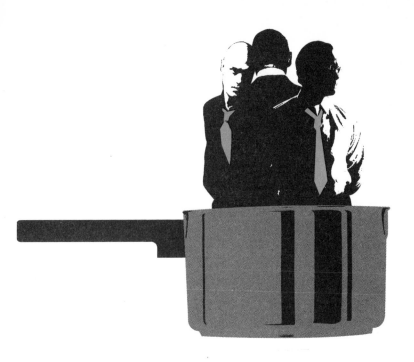

Vous voici installés. Attention à ne pas rester des heures le nez dans la carte. Regardez-la avec votre invité et tâchez de lui recommander quelque chose qui se trouve à la carte et non pas au menu. Vous ne devez jamais passer pour un radin ! Si vous êtes l'invité, ne choisissez pas les plats les plus chers sous prétexte que c'est la société qui paiera. Prenez tout simplement ce qui vous plaît dans la limite du raisonnable. Lorsque vous serez décidés et que le maître d'hôtel viendra à vous, laissez votre convive commander ce qu'il désire ; vous ferez de même après lui. Proposez à votre invité du vin. Par discrétion, il vous demandera si vous en boirez vous-même, c'est un signe : il ne veut pas qu'une Vittel ! Je vous suggère de le choisir vous-même afin que votre invité ne se décide pas pour le Château-Margaux à 120 euros ! Prenez alors une bouteille – jamais une demi – ou éventuellement un verre. Choisissez le vin en fonction des plats, et assurez-vous que votre interlocuteur approuve ce choix.

Personne n'est dupe, ni la « puissance invitante », comme l'on dit drôlement, ni l'invité : le déjeuner d'affaires est, comme son nom l'indique, un moment où l'on parle business. Mais l'on peut tout de même raconter le bac de son petit dernier à la condition d'être bref. Il s'agit de détendre l'atmosphère et de personnaliser des relations, pas d'exposer les prouesses de vos chers bambins. Ayez bien en tête que s'il est agréable d'entretenir de bonnes relations avec les gens que l'on rencontre pour son travail, on n'a pas à dévoiler sa vie privée. Si vous sentez que votre interlocuteur dérape, qu'il est parti pour vous narrer dans le détail sa chaotique histoire conjugale, tâchez de le remettre habilement dans le droit chemin. Soyez concentré sur votre conversation et, même si vous avez aperçu à l'autre bout de la salle une de vos connaissances, retenez-vous de lui faire de grands signes pour discuter avec elle de loin. Un simple sourire ou un petit signe de la main suffira. Faites attention à votre consommation de vin. L'alcool désinhibe, vous pourriez révéler des choses confidentielles, et vous le regretteriez amèrement quelque temps plus tard ! Ne parlez pas trop fort non plus, vous mettriez votre confrère dans l'embarras N'oubliez pas que tout le monde connaît tout le monde, surtout dans les restaurants d'affaires. Évitez de prononcer trop haut le nom de famille de certains collaborateurs ou concurrents, surtout si c'est pour en dire du mal. Les murs ont des oreilles. Proposez toujours au convive de prendre un dessert, même si la tête de veau que vous venez d'avaler vous a rassasié. S'il n'en veut pas, tant mieux pour vous, vous passerez directement au café. S'il est tenté par le vacherin, forcez-vous à prendre quelque chose. Une petite glace vanille ne devrait pas vous écœurer et vous mettrez ainsi votre interlocuteur à l'aise.

Régler l'addition devrait toujours ressembler à un film en accéléré. Votre invité doit à peine voir que vous avez payé quoi que ce soit. Pour cela, attrapez la note dès qu'elle est posée sur la table, ne la laissez surtout pas traîner. Utilisez plutôt une carte bancaire qu'un chèque pour gagner du temps. Malgré tout, il est tentant de ne pas cacher cette fameuse note lorsque vous êtes en face de gougnafiers qui ne vous remercient même pas pour ce délicieux (et coûteux !) déjeuner. À vous de voir ! En temps normal, mieux vaut, à mon avis, ne pas regarder combien vous devez, mais j'ai sans doute tort, un petit coup d'œil discret et rapide devrait suffire à vérifier qu'il n'y a pas d'erreur. Dans le cas contraire, vous pourrez toujours joindre le restaurant plus tard au téléphone. Prenez subrepticement l'addition pour vous faire rembourser et évitez de hurler au maître d'hôtel : « Vous pouvez me faire une fiche pour deux repas » : l'horreur ! S'il y a une ambiguïté sur le « qui paye », faites savoir rapidement que c'est vous, si c'est le cas. Par exemple, si vous invitez un jeune collaborateur, annoncez-lui la couleur pour qu'il ne s'affole pas en voyant le prix des plats et qu'il ne se gâche pas le plaisir de votre conversation !

Laissez toujours un pourboire ; cela se fait : environ dix pour cent de l'addition. Seule exception à cette règle : lorsque les serveurs ont été odieux. Dans ce cas, riez-en avec votre convive et dites-lui tout net que vous ne laisserez pas un centime de plus à ces grossiers personnages : il devrait acquiescer.

Si tout s'est bien passé, vous avez profité de ce moment décontracté pour aborder les questions professionnelles à l'origine du déjeuner. Et vous avez même débordé sur d'autres sujets plus informels mais utiles. L'avantage de ce genre de rencontre, c'est justement qu'elles ne sont pas des rendez-vous traditionnels et, la connivence aidant, elles vous permettent de trouver de nouvelles idées, d'animer le débat sous des aspects auxquels vous n'auriez peut-être pas pensé entre les quatre murs de votre bureau. Si ce n'est pas le cas et que vous vous mordez les doigts en rentrant car vous n'avez réglé aucune difficulté, c'est que ce déjeuner d'affaires n'a pas atteint son objectif. Vous avez perdu de vue le but de cette rencontre. La prochaine fois, quitte à faire une liste que vous apprendrez par cœur, notez précisément les sujets que vous voulez aborder mais ne vous y tenez pas absolument. Vous passeriez pour un bon élève un peu primaire.

RECEVOIR
CHEZ SOI

« Si vous prêtez attention aux détails et faites beaucoup d'efforts pour que vos clients passent un bon moment, ils supposeront que vous les traiterez de même dans vos relations professionnelles. Vous pourrez ainsi bientôt les voir manger dans votre main. »
Lydia Ramsey,
spécialiste en savoir-vivre professionnel

─────────

Organiser un dîner chez soi, j'en conviens, peut sembler très angoissant. Qui inviter avec qui ? Puis-je servir des crustacés ? Mon appartement est-il présentable ? Que vais-je bien pouvoir raconter à la femme de Durand ? Sachez tout de même que c'est un moyen plus facile qu'il n'y paraît de nouer des relations profession-nelles solides et d'en tirer parti plus tard. Soyons moins cynique : c'est aussi l'occasion de transformer une relation de travail en véri-table amitié. Ce seront peut-être des étrangers en voyage d'affaires en France : ils seront ravis d'assister à un dîner typique. Dans ce cas, préparez des mets traditionnels. Vous êtes l'ambassadeur de votre pays : faites en sorte qu'ils soient conquis par votre savoir-faire ! Ne vous lancez pas dans cette entreprise sans réfléchir sérieusement à la situation. Ne transformez pas votre appartement pour l'occasion parce que vous avez peur qu'il ne soit pas assez luxueux. Faites en sorte que ce soit chaleureux et pour cela, vous pouvez baisser un peu la lumière et allumer quelques bougies. N'en faites pas trop non plus, il ne s'agit pas d'un dîner romantique ! L'essentiel est que l'on se sente bien chez vous, pour le reste, à chacun selon ses goûts et ses moyens. Pour le menu, faites simple, ne proposez pas de plats trop originaux car vous ne connaissez pas les goûts de tout le monde. Ne vous lancez pas dans une recette inédite. Laissez des amis intimes être les cobayes de votre sauté d'agneau au kiwi. Faites simple, ce sera parfait. L'hiver, un plat en sauce est toujours une bonne idée, car il ne demande pas de surveillance constante et vous permet de rester à table avec vos invités. L'été, proposez des plats froids, il y en a de plus élaborés qu'on ne croit.

Savoir mélanger ses invités est tout un art. Inviter le PDG d'une société avec l'un de ses cadres pourrait être embarrassant pour les deux parties. N'hésitez pas à convier des personnes qui ne se connaissent pas mais qui, à votre avis, devraient s'entendre sur différents sujets. Le nombre idéal pour ce genre de soirée est six, voire huit personnes, au maximum. On sait qu'à partir de dix de petits groupes se forment et Dupont partira sans avoir dit un mot à Durand, ce qui serait dommage si c'est pour les faire se rencontrer que vous vous êtes donné tant de mal. Quinze jours à trois semaines avant le jour J, lancez les invitations. Il est prudent et courtois de donner à chacun le nom des autres convives. Vous ne savez peut-être pas que Durand et Dupont sont brouillés à mort. Si c'est le cas et que Dupont vous annonce la couleur, Durand viendra une autre fois ! Vous préciserez bien que les épouses ou les maris sont attendus puisque ce dîner ne se veut pas un repas d'affaires, même si on aura compris que ce n'est pas non plus un dîner entre copains.

Une semaine avant le jour J, vous pouvez envoyer un « Pour mémoire », sur une carte bristol, pour rappeler à tous le jour et l'heure du dîner, l'adresse, l'étage et les codes d'entrée.

À *l'arrivée de vos invités*, en faisant les présentations, tâchez d'évoquer une anecdote, un détail sur chacun afin d'engager les conversations. Votre rôle et, s'il est là, celui de votre conjoint, c'est de mettre tout le monde à l'aise mais aussi que chacun trouve un intérêt à cette soirée. Rencontrer Jean Dupont dans un cadre informel sera peut-être très utile à Pierre Martin pour ses affaires. Réfléchissez au plan de table avant l'arrivée de vos invités. Ainsi vous leur indiquerez leur place sans que cela crée dix minutes de confusion désagréable. L'idéal, c'est que chaque invité intervienne dans la conversation, même le plus timide. C'est à vous, maître de maison, de surveiller avec attention que Mme Durand ne bâille pas aux corneilles toute la soirée. Parce que c'est la moindre des politesses et parce que si elle commente la soirée favorablement, cela vous rendra également sympathique aux yeux de son mari. Lequel peut vous être utile professionnellement. N'oubliez jamais que ce dîner n'est pas une réunion de travail et que vous n'avez pas à parler de votre job avec précision. Vous pouvez toujours lancer quelques généralités sur la vie professionnelle, mais ne détaillez pas un cas particulier, surtout pas le vôtre ! Ne profitez pas non plus de cette occasion un peu exceptionnelle pour être décontracté au point de vous permettre des familiarités : vous le regretteriez dès le lendemain. Ainsi, demander à votre supérieur si vous pouvez le tutoyer est une mauvaise idée. Et ne dites pas de mal de vos confrères, ce ne serait pas fair-play, et surtout cela peut être dangereux. Dirigez la conversation sur des sujets intéressants pour tous et faites en sorte que, si l'on parle politique, le ton ne monte pas ! Un dîner peut être tout à fait raté si les convives se mettent à se disputer violemment sur la légitimité du Premier ministre ! Ce sera évidemment à vous de calmer le jeu.

Si vous êtes l'un des invités de ce dîner, arrivez à l'heure, ou du moins pas plus d'un quart d'heure après l'heure convenue. Soyez vous aussi disert et, même si c'est le cas, tâchez de ne jamais montrer que vous vous ennuyez à mourir. Vous avez accepté l'invitation ? Assumez. Soyez attentif aux autres et ne monopolisez pas la parole, surtout si vous êtes un supérieur hiérarchique. Diriger une entreprise ne vous autorise pas à mener le dîner.

Bien au contraire, c'est peut-être le moment d'en savoir plus sur vos subordonnés, leurs attentes dans la vie en général, leurs problèmes ou même leurs passions. Le lendemain, remerciez vos hôtes en faisant envoyer un bouquet de fleurs, si c'est une collaboratrice qui vous a reçu ou si le maître de maison a une épouse. Vous pouvez aussi adresser un mot à votre hôte. Et n'oubliez pas de convier à votre tour ce charmant confrère car il faut rendre l'invitation, c'est la tradition !

LA FÊTE
DE FIN D'ANNÉE

« Si votre comportement est déplacé,
votre carrière pourrait être plus courte
que vous ne l'aviez prévu. Si vous vous conduisez
avec charme et bon sens, vous pourriez
bien monter rapidement les échelons. »
Lydia Ramsey,
experte en savoir-vivre professionnel.

Vous ne pourrez pas y échapper. Vous êtes au courant depuis des semaines. Le 19 décembre à 18 h 30, c'est la fête de l'entreprise. Quoi que vous en pensiez, il est pratiquement obligatoire d'être présent. Sinon vous passeriez pour le méprisant de service. Et soyez sûr que ce genre d'attitude ne pardonne pas ! Soyez heureux, au contraire, de trinquer en l'honneur de la nouvelle année avec votre assistant ou votre patron. Car, attention, cette cérémonie est un piège. Vous n'êtes pas là uniquement pour faire le malin avec votre chef de service, vous devez aussi être des plus gracieux avec l'hôtesse d'accueil : cette soirée est organisée pour tout le monde. C'est aussi un des rares moments où l'on peut, sans passer pour un gougnafier, faire quelques compliments aux jeunes femmes présentes, remercier chaleureusement ceux qui vous ont rendu service et, éventuellement, dire au patron que l'on est content de travailler pour lui. Tout cela avec tact, délicatesse et sincérité. Vous n'êtes pas « en service » mais vous y êtes un peu quand même. Ne vous croyez pas dans une fête à tout casser chez vos meilleurs amis. Buvez une coupe de champagne et tenez-vous-en là. Surtout si vous savez que l'alcool a chez vous des effets désinhibants : dans ce cas, vous êtes en grand danger. Gardez bien cela en tête avant d'avaler votre cinquième verre. Cela vous évitera de vous jeter sur la secrétaire du troisième pour l'embrasser goulûment sur la bouche,

ou d'insulter votre confrère du second que vous soupçonnez de mauvaises intentions à votre égard. Tous les spectateurs présents seraient trop contents d'évoquer cette sacrée soirée des mois durant ! Vous deviendriez le « célèbre Martin », celui qui était complètement fait à la fête du Nouvel An. Ce genre de réputation a la peau dure, et plus personne ne vous prendra au sérieux. Comment faire preuve d'autorité avec vos subordonnés s'ils vous ont vu danser le cha-cha-cha, torse nu avec la jolie blonde du service voisin ?

Soyez égal à vous-même, juste un peu plus souriant et un peu plus affable. Évitez comme la peste le collègue qui vous paraît un peu pompette : vous risqueriez d'entendre des confidences gênantes. Si l'on vous présente de nouvelles têtes, c'est même l'occasion de nouer des relations utiles. Montrez donc à ces inconnus que, dans n'importe quelle situation, vous êtes digne, sympathique, curieux. Bref, le collaborateur parfait avec qui tout le monde rêve de travailler !

LE DÉPART
À LA RETRAITE

*« Si vous ne mettez pas un peu d'argent
dans l'enveloppe pour la collecte, vous deviendrez
pour tous vos collaborateurs et jusqu'à la fin
de votre carrière l'Harpagon de service. »*
Site Internet Justaguything

Le fidèle M. Martin, quarante ans de maison, quitte l'entreprise pour une retraite bien méritée. La coutume veut qu'on lui organise un pot de départ et qu'on lui offre un cadeau. Vous n'avez pas de passion particulière pour M. Martin qui vous accuse, depuis toujours, de dérégler la photocopieuse ? Pourtant, il va falloir faire bonne figure.

Tout commence par la quête. L'inévitable enveloppe que l'assistante du troisième vient faire passer dans les bureaux pour « le cadeau de retraite de M. Martin ». Celui-ci n'est pas, tant s'en faut, votre meilleur ami. N'empêche, il n'y a pas à hésiter : vous devez donner quelque chose. Si vous n'avez pas l'intention de vous mettre à découvert pour l'occasion, glissez un billet. Tendre un modeste chèque de 5 euros à la gentille secrétaire qui espérait de vous un beau geste sera mal vu. Si vous êtes radin, soyez discret. Il peut arriver que l'on vous désigne pour collecter les gros sous et vous charger du cadeau. À vous de vous creuser la tête pour trouver ce qui fera plaisir au futur retraité. S'il a la passion de la pêche, de la chasse, du tennis ou du golf, ce sera facile. Sinon, pensez aux voyages. Et si vous séchez, appelez un de ses proches qui vous renseignera.

Quand vient le moment de la fête, tentez d'éviter la délicate tâche qui consiste à faire le discours. C'est un casse-tête, je vous préviens. Être drôle sans être irrespectueux, émouvant sans être sinistre, gentil sans être mielleux, c'est du travail. Évitez de commencer toutes vos phrases par « je », préférez le « nous » afin que tout le service se sente concerné par vos propos. Rappelez quelques anecdotes amusantes, quelques situations cocasses sans vulgarité ni méchanceté. Nul besoin, même si l'ambiance est décontractée, de raconter, par le menu, un voyage d'affaires avec l'intéressé qui s'est fini dans un bar à strip-tease. Imaginez la tête de la pauvre Mme Martin qui ignore tout des folles soirées de son mari. Pathétique pour celui qui fait le discours, pour celui à qui il est adressé et pour les invités. Plus sérieusement, soyez bref, rien de plus fatigant que ces speechs qui n'en finissent plus. Normalement, M. Martin sera touché. Après tout, c'est la première fois qu'il entendra de votre bouche que sa présence manquera.

VOYAGE D'AFFAIRES ET SÉMINAIRE

*« Le séminaire est l'occasion de nouer
des relations d'affaires et de vous promouvoir.
Gardez dans l'esprit que votre conduite aura
un impact direct sur votre avenir. »
Lydia Ramsey,
experte en savoir-vivre professionnel*

Vous devez partir en séminaire ou en voyage d'affaires avec vos confrères ou vos clients ? Sachez vous comporter en irréprochable gentleman ou en parfaite femme du monde ! Car, si vous vous instruisez beaucoup pendant ces quelques jours, les autres apprendront aussi énormément sur vous. Et ce n'est peut-être pas le moment de commettre des erreurs.

Les séminaires ont deux buts distincts : d'une part, faire le point sur le bilan de l'année et fixer des objectifs pour la suite, d'autre part, stimuler l'esprit d'équipe. Vous participerez donc à des travaux de groupes mais aussi à des activités de détente que vous apprécierez plus ou moins selon vos goûts et votre humeur.

Pendant les réunions de travail, soyez exactement le même qu'au bureau. Ce n'est pas parce que vous êtes dans un cadre différent que vous devez agir différemment. Adaptez donc votre tenue. Si c'est à vous de faire un exposé complet sur la stratégie de développement de l'entreprise, et même si le séminaire se déroule dans un club de vacances, évitez bermuda, manches courtes et chemise ouverte, même si la plage de sable blanc est à 2 mètres. Vous en profiterez plus tard. Soyez toujours à l'heure lorsque le rendez-vous est fixé le matin, même si vous avez profité de la soirée : vous n'êtes pas en vacances, contrairement aux apparences. Si c'est à vous de mener les débats, sachez allier professionnalisme et efficacité avec la petite dose de décontraction obligatoire dans ce genre de situation. Communiquez le plus possible : expliquez simplement les objectifs à atteindre et usez de votre psychologie naturelle pour motiver vos troupes. Les séminaires sont aussi un bon moyen de faire baisser la pression, de détendre l'atmosphère, d'aider à améliorer l'ambiance de l'entreprise. Soyez rigoureux, soit. Mais plus souple qu'à l'accoutumée. Surtout, n'oubliez jamais de faire participer tout le monde. M. Martin est comme toujours mutique ? Ne l'agressez pas mais demandez-lui discrètement s'il veut ajouter quelque chose. Qu'il ait au moins l'impression d'avoir sa place parmi vos collaborateurs.

Viennent les festivités. Que vous soyez le manager ou le subordonné, un seul mot d'ordre : jouez le jeu. Même si cela vous contrarie au plus haut point de faire la course en sac. Ne soyez pas le rigolo de service ni celui qui est au-dessus de tout ça. Soyez « bon camarade » (ne vous moquez pas de M. Martin qui ne sait pas courir), c'est ce qu'on appelle l'esprit de groupe. Dites-vous bien que ces animations ne durent qu'un temps. Mais ne vous prenez pas trop au sérieux non plus : si vous avez raté une compétition, ce n'est pas grave. Soyez beau joueur !

Lors de la soirée, vous n'oublierez pas de vous tenir décemment ! Même si vous êtes particulièrement détendu ou que vous vous ennuyez à mourir, ne buvez pas plus que de raison : on sait bien que, sous les effets de l'alcool, les langues se délient et vous pourriez bien tenir des propos pathétiques à votre patron qui, lui, ne les oubliera pas. L'abus de champagne et les relations d'affaires ne vont pas ensemble, un point c'est tout. Pensez constamment au « syndrome du lundi », ce jour terrible où l'on se retrouve devant la machine à café, mal à l'aise et penaud d'avoir dit la veille à M. Martin tout le mal qu'on pensait de lui.

Essayez de ne pas parler de vos petits ennuis professionnels lors de ces réjouissances : vous n'imaginez pas comme on peut vite déraper et ennuyer tout le monde ! Vous n'oublierez pas le sens de la hiérarchie : ce n'est pas parce que votre directeur général nage et plaisante avec vous dans la mer bleu turquoise que vous pouvez lui taper dans le dos à la moindre occasion. Il reste votre directeur général. Enfin, il peut vous arriver d'être récompensé au cours d'une cérémonie, comme cela se fait souvent dans ces séminaires. Si vous êtes élu le meilleur de votre catégorie, gardez la tête froide : remerciez votre patron, les personnes qui travaillent avec vous et surtout, même si vous savez que vous méritez largement ce prix, soyez presque aussi modeste que les acteurs de cinéma à la soirée des César !

Les séminaires vous angoissent des semaines à l'avance ? Ne vous faites pas porter pâle : ce serait mal vu et ne vous aiderait pas à

grimper les échelons. Le seul cas où il vaut mieux ne pas faire le déplacement, c'est lorsque vous êtes sur le point de quitter l'entreprise : si l'on parle des objectifs de l'année prochaine alors que vous ne ferez plus partie de l'équipe, votre présence ne peut qu'être indisposante.

Pour les voyages d'affaires, toutes ces indications sont à peu près les mêmes. Soyez attentifs à vos clients et aimables avec vos confrères. Donnez l'image d'une équipe soudée, même si le chef des ventes vous exaspère. Tachez d'être présent dès que survient le moindre problème. De toute façon, vos invités vous poseront des centaines de questions sur la journée à venir : « Faut-il mettre un pull

pour cette expédition ? »; « À quelle heure le dîner est-il servi ? ».
Répondez avec simplicité et chaleur même si vous n'avez qu'une
envie : rentrer chez vous ! Occupez-vous des plus sauvages, des
conjoints qui ne connaissent personne, mettez-les à l'aise, faites-les
s'intégrer au reste des convives. Après tout, vous êtes le meneur de
jeu, le « gentil organisateur » ! Et votre réputation de « planificateur
hors pair » sera faite.

Si vous êtes invité à ce voyage, ne croyez pas une seconde que
tout vous est dû. Pensez que préparer ce déplacement a demandé
beaucoup de travail à vos hôtes. Pliez-vous aux contraintes d'horaires, à la vie de groupe forcée avec bonne humeur. Soyez gracieux : s'il
pleut, ce n'est la faute de personne, en tout cas pas du responsable
de ce périple.

Et, dès votre retour (pas trois jours plus tard, non, le lendemain),
n'oubliez pas le mot de remerciement écrit à la main, s'il vous plaît !
C'est la moindre des choses.

ENTRE COLLABORA-TEURS

« Bonjour ! »

Familiarité

Dépression et alcoolisme

« BONJOUR ! »

*« Soyez attentif à la manière dont vous saluez.
Savoir dire bonjour est un investissement
professionnel. »*
Joan Kulmala, coach en image

———————————

Si la vie au bureau n'a rien à voir avec la vie privée, il est un sujet qui pourtant ne diffère en rien. Où que l'on soit, lorsqu'on arrive quelque part on dit « bonjour ». Certains d'entre vous se demandent si je n'enfonce pas quelques portes ouvertes ? Et pourtant non, j'ai souffert parfois de ne pas être saluée dans mon entreprise. Nous étions alors peu nombreux, et il m'était facile d'aller voir, le matin, chacun de mes collègues dans son bureau pour un petit signe amical. C'était un rituel auquel je ne dérogeais jamais. Peu à peu, j'ai constaté que ma persévérance avait vaincu les plus oublieux des bonnes manières et j'ai fini par entendre chaque jour les « Comment ça va ? » de chacun, pour mon plus grand plaisir.

N'oubliez pas de dire bonjour à tous, de la standardiste à votre supérieur hiérarchique. On ne vous demande pas d'embrasser sur les deux joues ni même de serrer la main. Un sourire et un ton jovial suffisent amplement. Attention tout de même : évitez d'interrompre une conversation ou d'entrer dans un bureau toutes portes fermées pour un petit coucou. Attendez que votre interlocuteur soit disponible. La communication est une des clefs de la réussite.

Et le bonjour du matin peut déboucher sur une conversation intéressante. Certains penseront que vous êtes « ce sympathique Durand à qui l'on peut faire confiance, contrairement à cet arrogant de Martin qui ne daigne jamais esquisser un sourire quand on le croise ».

En entrant dans un ascenseur, il est d'usage de saluer ceux qui s'y trouvent même lorsqu'on ne les connaît pas. Inutile de regarder benoîtement vos pieds ou de prendre un air inspiré en regardant le plafond. Même chose dans les couloirs de l'entreprise ou devant la machine à café. Dire « Bonjour » prend exactement deux secondes, c'est peu de chose, non ? Pour certains, c'est encore trop. Les autres jugeront, je l'espère, qu'être aimable et poli n'est jamais une perte de temps.

FAMILIARITÉ

« Si vous vous demandez si vous pouvez
appeler quelqu'un par son prénom,
c'est que vous ne devez pas le faire.
La familiarité est vite assimilée au mépris. »
Lena Williams,
« The New York Times »

Il n'existe aucune règle absolue sur le comportement à avoir en entreprise. « Salut Nicole, comment tu vas ? » est une formule sympathique que l'on entend à tout bout de champ au club de sport, en vacances ou entre vieux amis. Le hic, c'est que votre société, aussi agréable soit-elle, n'est pas un lieu de détente. Sachez donc être sympathique sans être familier.

Dans certains cas, le tutoiement est de rigueur. Foncez, même s'il vous semble un peu compliqué de dire « tu » à Mme Martin, soixante-cinq ans le mois prochain. Mais si Mme Martin vous demande instamment de le faire, elle pourrait être vexée si vous n'obtempérez pas. En revanche, si elle ne vous a rien demandé, inutile de jouer au bon camarade qui ne fait aucune différence entre elle et le nouveau de dix-huit ans qui apporte les cafés. En principe, vous devriez assez vite savoir quelle attitude adopter. Soyez à l'écoute et adaptez votre comportement. Ne forcez pas non plus les plus jeunes à vous tutoyer. Il m'est arrivé, trop souvent je l'avoue, de demander à

des stagiaires d'arrêter le vouvoiement. Mal m'en a pris ! La plupart d'entre eux ont tenté une ou deux fois de me tutoyer, mais ils ont vite abandonné l'idée. Je ne m'étais simplement pas rendu compte que j'étais pour eux un ancêtre. Résultat : non seulement je les ai paniqués au lieu de les mettre en confiance, mais j'ai réalisé avec stupeur que j'étais passée de l'autre côté de la barrière !

Ne croyez pas qu'être familier vous ouvrira des portes. Vouloir devenir à tout prix l'ami intime d'Untel parce qu'il pourra vous servir dans un projet est définitivement une mauvaise idée. Inutile, donc, d'aller le voir tous les quatre matins pour lui demander comment s'est passé le week-end avec sa femme car vous avez appris que le couple ne marchait pas fort. Il est probable qu'Untel vous trouvera plus indiscret que sympathique et ne vous étonnez pas s'il vous fuit comme la peste. Au contraire, soyez délicat et chaleureux et peut-être qu'il vous ouvrira la porte de son cœur ! À vous de voir ensuite si cela vaut vraiment le coup de l'entendre pleurnicher des heures !

Quant à vous qui avez quelques tendances à vous épancher, à raconter à ceux qui veulent bien vous écouter les difficultés que vous rencontrez avec vos enfants ou votre vieille mère, sachez seulement que vos collègues ont les mêmes problèmes chez eux et que ce n'est certainement pas au bureau qu'ils veulent en entendre parler. Vous leur ferez perdre leur temps, car ils sont là (aussi) pour travailler !

DÉPRESSION ET ALCOOLISME

« Dans un monde où les tensions sont
quotidiennes, il est plus important que jamais
pour ceux qui luttent contre la dépression
de pouvoir demander de l'aide, et pour
leur employeur de tenter de les comprendre. »
Nancy Krahulec,
consultante pour Minnesota Diversified Industries

Un de vos collaborateurs est agressif ? Son comportement a radicalement changé ? N'en concluez pas trop vite qu'il est devenu incompétent ou qu'il vous en veut, bref, qu'il est devenu un élément inutile. Il est peut-être atteint d'une maladie qui ne se voit pas et qui ne se dit pas : la dépression. Que faire pour l'aider ?

Avant d'aller vous plaindre auprès de vos supérieurs parce que M. Durand vous a, une fois de plus, envoyé balader, tâchez de garder votre calme. Il est ridicule de se disputer comme des chiffonniers à l'intérieur de l'entreprise, et puis M. Durand a peut-être un gros problème. Certes, vous n'êtes ni l'Abbé Pierre ni Mère Teresa. Les problèmes, vous en avez aussi. Mais savez-vous que la dépression est une maladie grave qui peut vite dégénérer et qui se soigne, au

même titre que n'importe quelle autre ? On ne vous demande pas de faire vous-même un diagnostic sur votre confrère, mais pourquoi ne pas tenter de lui parler ? Il sera très difficile pour lui de se confier et il vous faudra faire preuve de patience et d'un peu de psychologie. Avant tout, il faut gagner sa confiance : souriez, faites-lui des compliments, encouragez-le. Peu à peu, vous pourrez peut-être le convaincre d'aller voir le médecin du travail. La souffrance de votre collaborateur pourrait chambouler l'ambiance dans les bureaux. C'est une raison supplémentaire pour agir. Avec tact, cela va sans

dire. Proposez-lui un déjeuner en tête à tête. N'y allez pas frontalement, mais essayez de le faire parler, de lui faire comprendre qu'il n'y
a aucune honte à se sentir mal dans sa peau et que ce problème
peut atteindre l'employé comme le PDG d'une entreprise.
Conseillez-lui, en priorité, d'aller consulter.

Il en va de même pour l'alcoolisme. Vous savez que M. Martin
boit plus que de raison et, si cet état le rend inefficace au bureau,
vous pouvez vous en mêler. Comme la dépression, l'alcoolisme est
une maladie qui se soigne. Mais c'est surtout une maladie honteuse.
Alors, avant de soupirer dès que M. Martin entre dans votre
bureau, ou de cancaner sur le nombre de verres de vin que vous
l'avez vu boire au déjeuner, parlez-lui. Il y a, malheureusement, de
fortes chances pour qu'il le prenne mal. Si vous ne vous sentez pas la
force de vous confronter à son agressivité, allez directement voir le
médecin ou l'infirmière de l'entreprise. Si vous voyez qu'il est
enfermé dans sa maladie, que le dialogue est impossible, il est peut-
être temps d'en parler à votre supérieur hiérarchique. Celui-ci a dû,
de toute façon, s'apercevoir du problème, et c'est à lui d'agir.

Vous passerez pour un délateur si vous êtes là pour régler vos
comptes. Ce n'est pas ce que l'on vous demande. La seule chose qui
doit vous importer, c'est le bon fonctionnement de l'entreprise. Et
vos confrères vous diront merci.

L'APPARENCE

COMMENT S'HABILLER ?

« Si vous êtes mal habillé, vous aurez beaucoup moins de travail car vous n'aurez pas non plus de promotion, de succès, de pouvoir. »

Richard Templar,

spécialiste en développement personnel.

Les hommes

Il suffit de prendre le métro aux heures de pointe pour se rendre compte que la plupart des voyageurs sont « en tenue de bureau ». Costume pour les hommes, tailleur pour les dames, les mœurs ont finalement peu changé. Vous avez l'impression que la situation a beaucoup évolué ? Pensez au scandale que provoque l'apparition d'un présentateur de journal télévisé s'il ne porte pas la sacro-sainte cravate ! Selon le domaine d'activité, vous devriez comprendre assez vite quelle est la tenue à adopter. Dans l'administration ou les banques, je ne vois pas d'autre solution que le costume classique. Le port de la cravate est en général de rigueur. Que les plus jeunes se rassurent, ils s'y feront très vite. Et puis, rien ne vous empêche de la retirer si vous êtes seul dans votre bureau et n'attendez pas de rendez-vous important. Dans les milieux plus « artistiques » comme la publicité, la télévision, le journalisme ou l'édition, c'est au contraire lorsque vous portez cette cravate

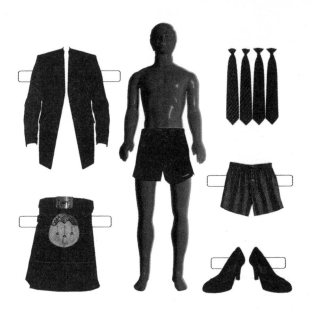

que l'on vous regardera de travers. Abusez du jean et l'on verra immédiatement à qui l'on a affaire : un gars non conformiste mais qui connaît bien le métier ! Méfiez-vous tout de même : au cours de certains rendez-vous, votre côté « relax » pourrait vous faire du tort.

Attention aux chaussures : elles sont un élément important de la panoplie de l'employé élégant. Si vous devez vous mettre en frais, investissez dans des souliers de grandes marques. N'hésitez pas à les cirer tous les jours. Ne mettez jamais de chaussettes blanches ou bariolées de petits personnages humoristiques, comme celles qui étaient tellement à la mode voilà quelques années. C'est épouvantablement vilain et ridicule. Une chaussette doit être unie, en fil d'Écosse ou en pure laine, si possible noire ou grise, qu'on se le dise. Et haute. N'en avez-vous pas assez d'apercevoir sans cesse le mollet blafard de vos interlocuteurs ?

Choisir la bonne cravate est un casse-tête. Inutile de préciser que celles décorées de Mickey et autres Droopy sont à éliminer d'office. Une fois encore, ce n'est pas drôle. Vous ne risquez pas de vous tromper beaucoup en les choisissant unies si, vraiment, vous n'êtes pas sûr de votre goût en la matière.

Les chemises seront toujours en coton (le polyester est non seulement une vilaine matière mais il peut provoquer, je vous le rappelle, des odeurs de transpiration dont vos collaborateurs se passeraient !) et à manches longues. Face à un homme en chemisette (pis, avec une cravate) n'avez-vous pas l'impression de vous trouver devant un steward ou un commandant de bord ? Si vous ne faites pas partie du personnel navigant d'Air France, abstenez-vous. Il n'y a rien de plus séduisant qu'un homme qui remonte ses manches. Interrogez les femmes autour de vous, elles seront d'accord !

Utilisez un bon vieux cartable et oubliez complètement cette espèce de sac à main que portent encore quelques messieurs. Quant aux téléphones mobiles accrochés aux ceintures de pantalon, c'est le comble de l'inélégance, mais vous le saviez déjà.

Même si vous n'êtes pas à proprement parler coquet, tâchez de vous regarder de pied en cap devant votre miroir avant d'aller travailler. Les cheveux bien coiffés, l'haleine fraîche, quelques gouttes de parfum, le costume impeccable et vous voilà parti pour une bonne journée. Pour vous et pour les autres.

Les femmes

Une femme peut, aujourd'hui, être élégante à n'importe quel prix. Qu'on ne vienne pas me dire qu'Unetelle s'habille mal parce qu'elle n'en a pas les moyens. Les chaînes de magasins de vêtements aux prix cassés copient sans cesse les grandes marques et il suffit de peu de chose pour être chic. Si vous travaillez dans une société peu encline à l'originalité, soyez sobre tout en gardant votre personnalité. Évitez la jupe trop courte, mais trouvez des subterfuges pour combler vos envies d'excentricité : des talons extravagants ou des bijoux voyants peuvent très bien passer si vous êtes, par ailleurs, habillée simplement. Il ne faut pas provoquer. Pour le reste, votre jugement en la matière sera sûrement le bon. Songez qu'il n'y a pas si longtemps une femme en pantalon était mal vue ! Aujourd'hui, c'est d'une grande banalité et c'est plutôt lorsqu'une femme ne s'habille qu'en jupe qu'on la remarque. Attention à ne jamais avoir un collant filé ! Pour plus de sécurité, ayez-en toujours un de rechange dans votre tiroir. Ce serait dommage de gâcher un rendez-vous car vous êtes obnubilée par un petit accroc.

On ne demandera jamais à personne de ne porter que de la haute couture mais un petit effort de toilette est recommandé. Attention, rien n'est plus grotesque que d'être *overdressed* (trop chic, pourrait-on traduire).

Si vous pouvez vous vêtir comme bon vous semble, et si aujourd'hui le port du jean est presque un uniforme, portez-le avec une chemise un peu raffinée et le tour sera joué. Veillez à ce que, si chemise il y a, celle-ci soit impeccable : pas de col douteux ni d'auréoles suspectes. Il faut toujours que l'on ait l'impression que vous sortez de votre douche, même s'il est 7 heures du soir.

Les femmes négligées (peut-être plus encore que les hommes) renvoient une mauvaise image de leur société. Et il n'existe pas d'exception à la règle.

LE
FRIDAY WEAR

« On tolérera les chemises sport, pourvu qu'elles soient boutonnées. Les tee-shirts vont bien aux musiciens et aux informaticiens, quant à vous, gardez-les pour tondre la pelouse. »
Sue Fox,
« Business etiquette for dummies »

Tradition aux États-Unis, le *Friday wear* a été imaginé au départ pour permettre aux salariés de partir en week-end sans avoir à se changer ; la France s'y met bon an mal an et vous permet d'arriver au bureau le vendredi en tenue décontractée : là est le piège ! Car décontracté ne rime pas avec négligé, qu'on se le dise.

Il n'est désormais plus rare de voir le PDG d'une société arriver le vendredi matin en jean. C'est d'ailleurs lui que vous devez scruter à la loupe. Car si son *Casual-Friday* signifie seulement porter un costume clair plutôt que sombre, il serait mal vu que vous arriviez, vous, en polo, pantalon de toile et baskets. Avant de faire quelques « excentricités » de ce genre, renseignez-vous. Si vous débutez, préférez vous habiller comme la veille et observez d'abord ce que font les autres. Une fois encore, un salarié qui cherche à s'intégrer ne doit pas faire de vagues. Si vous n'avez décidément pas l'instinct grégaire, démarquez-vous sur d'autres plans, pas sur votre présentation extérieure ! Imaginez-vous deux secondes en bermuda et en tongs croisant votre supérieur en blazer devant la machine à café et vous comprendrez bien vite que les excès en la matière ne sont pas une bonne idée.

Avant d'enfiler votre tenue *Friday wear*, vérifiez aussi votre agenda. Si vous avez un rendez-vous important, remettez le costume ou le tailleur, car il n'est pas certain que vos interlocuteurs apprécient vos jeans.

De toute façon, les hommes devraient toujours avoir une cravate dans le tiroir de leur bureau : on ne sait jamais. Et les femmes un petit nécessaire à maquillage car, même si vous êtes habillées un peu « sport », le rouge à lèvres et le fard à paupières vous donneront immédiatement le petit côté sophistiqué qui vous manquait ce jour-là.

Le plus important est évidemment de respecter les codes de votre entreprise : *Friday wear* ou pas, chemise unie ou à fleurs, l'essentiel, c'est que nous sommes vendredi et que vous serez en week-end dans quelques heures !

L'HYGIÈNE

« Il peut être très difficile de dire à un collègue
qu'il a une forte odeur corporelle, mais c'est
nécessaire, particulièrement si la personne
doit traiter avec des clients. »
Eve Ash, psychologue

Les chiffres sont alarmants : 90 % des Français ne se
lavent pas les mains avant de passer à table. Est-ce pour cela que
nous avons la réputation de ne pas être très nets ? Vous ne le saviez
pas ? Les Français sont considérés comme de grands séducteurs
crasseux. Au bureau plus qu'ailleurs, votre image ne doit pas être
salie par un manque d'hygiène caractérisé.

Dès le matin, à la première heure, chacun au bureau sait ce qu'il
en est de la propreté de son voisin. Si tous vos collègues font un tour
dans le bureau d'à côté alors que personne ne met les pieds dans le
vôtre, ce n'est pas nécessairement parce que l'on n'a rien à vous dire.
Pardon d'être directe, mais nous avons tous connu le collaborateur
qui sent mauvais, et on ne me fera pas croire que cela ne joue pas
dans la carrière du malheureux. Donc, quoi qu'il arrive, et même s'il
fait 50 degrés, vous devez sentir bon. Il est facile d'acheter du
déodorant même si – des chiffres encore – 60 % de la population

française considère que c'est inutile. Si vous travaillez dans un open space, j'aime mieux vous avertir que vos collègues vous haïront vite s'ils se rendent compte que vous prenez des douches avec parcimonie. L'hygiène est une règle élémentaire et la base de vos relations avec les autres. Vos vêtements doivent également être impeccables : je vous rappelle que les pressings sont justement là pour s'oc-cuper de vos costumes, cravates et autres tailleurs. Les chemises seront imma-culées et les chaussures, bien entendu, cirées.

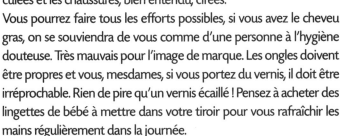

Vous pourrez faire tous les efforts possibles, si vous avez le cheveu gras, on se souviendra de vous comme d'une personne à l'hygiène douteuse. Très mauvais pour l'image de marque. Les ongles doivent être propres et vous, mesdames, si vous portez du vernis, il doit être irréprochable. Rien de pire qu'un vernis écaillé ! Pensez à acheter des lingettes de bébé à mettre dans votre tiroir pour vous rafraîchir les mains régulièrement dans la journée.

En sortant des toilettes, même si l'on ne vous voit pas, n'oubliez jamais de vous laver les mains et de laisser le lieu impeccable. Sachez – c'est incroyable mais vrai – qu'on finit toujours par savoir qui laisse dans un état déplorable les commodités, comme l'on disait autre-fois. Et on remarque ceux qui négligent de se savonner les mains. « Respecter les autres, c'est se respecter soi-même » doit être votre devise.

LE PARFUM

« Le parfum peut être un danger pour la santé,
et ce risque pourrait donner à votre patron,
pis, à votre client, une première
impression désastreuse.
Les parfums ont été à l'origine de maladies
comme l'asthme, les migraines,
et, dans des cas extrêmes, de réactions
allergiques très violentes. »
Sara Williams, « Eau d'étiquette »,
CoBizMag.com

S'asperger de parfum le matin est pour beaucoup la preuve infaillible d'une hygiène parfaite. Hmmm… Combien d'individus empestent et gâchent purement et simplement la vie de leurs collègues ? Eh oui, dites-vous bien qu'aucun parfum n'a jamais fait l'unanimité, et que même la fragrance la plus subtile et la plus chère peut incommoder vos collaborateurs.

Expérience personnelle : une jeune femme, par ailleurs charmante, a partagé quelques années mon bureau. En aucun cas je n'aurais pu lui reprocher son manque d'hygiène ; au contraire, elle était toujours pimpante et faisait plaisir à voir. Jamais elle ne m'a infligé la moindre odeur de transpiration : je ne l'aurais pas

supporté ! Le problème était ailleurs et plus précisément dans la quantité stupéfiante de parfum dont elle s'aspergeait. Je souffrais atrocement d'avoir à humer chaque matin, juste après mon petit déjeuner, cet effluve nauséabond composé de gingembre, patchouli ou autre baume du Pérou qui emplissait la pièce en moins de deux. Comment dire à cette gentille collaboratrice que cela devenait pour moi un cauchemar ? L'affrontement n'étant pas mon fort, je me suis crue obligée de lui parler d'allergie. En moins de temps qu'il faut pour le dire, j'ai expliqué avec moult détails que depuis ma plus tendre enfance je ne pouvais pas souffrir les parfums trop puissants. Et que l'odeur de ce « Matin de printemps » me procurait éternuements et mal au cœur. D'accord, je mentais un peu et je regrettais presque ma déclaration tant la fautive était navrée. J'ai toujours l'impression que dire à quelqu'un que l'on n'aime pas son odeur est comme lui dire qu'il s'habille mal. Mais enfin j'avais obtenu gain de cause. Le problème, c'est que de mon côté je n'ai plus jamais osé porter la moindre eau de toilette de peur d'éveiller les soupçons.

Cette anecdote rappellera certainement des souvenirs à beaucoup d'entre vous. Le matin, avant de vous inonder de Shalimar, pensez deux minutes à votre entourage. Et dites-vous bien que ce n'est sûrement pas parce que vous croyez sentir bon que les autres seront d'accord. Quant à tous ceux qui se voient infliger ce genre de situation, prenez votre courage à deux mains et, avant de soupirer en ouvrant grandes les fenêtres, dites la vérité, cela vaut mieux qu'un pieux mensonge !

LES LIEUX

L'open space

Un bureau à soi

Le restaurant d'entreprise

L'OPEN SPACE

« Une étude scientifique a prouvé que les salariés
étaient distraits de leurs tâches 2,1 heures
par jour (28 % du temps de travail).
Et l'on compte environ cinq minutes
après chaque interruption pour qu'ils
se remettent de leur distraction
et redeviennent efficaces. »
Aviva Shiff,
consultante en management financier.

Fini le chacun pour soi, fini la hiérarchie trop lourde : tout le monde à la même enseigne. On a beaucoup dit que l'open-space était la meilleure des formules. Même si aujourd'hui le discours est plus nuancé, la pratique reste très répandue. Un seul plateau ouvert pour tous les salariés de l'entreprise. Mais dans l'open-space, fini aussi l'intimité : tout ce que vous direz ou ferez sera entendu et vu. Aussi, pensez à réviser quelques règles de savoir-vivre en communauté !

Souvenez-vous de ce que l'on vous a martelé durant toute votre enfance : « Ne dérange pas les autres. Ne parle pas trop fort, tu vois bien que tu ennuies monsieur. » En principe, ces paroles sont ancrées en vous. Et c'est maintenant qu'il va falloir vous en servir.

L'open space a ceci de particulier que, quoi qu'il arrive, on y saura à peu près tout de votre vie intime et professionnelle. Certains ne le supportent pas et finissent en arrêt maladie pour dépression nerveuse ! Les autres, la majorité heureusement, ont su apprendre à se focaliser sur leurs tâches, même lorsque Simone appelle longuement son petit-fils juste à côté ou que Christophe fait de sa voix de stentor une déclaration d'amour torride à sa énième petite amie. Malgré vous, alors que votre seul tort est d'être assis à côté de Simone et Christophe, vous êtes un importun. Et vous n'y pouvez rien. Mais si vous suivez quelques-uns de ces conseils, vous serez un importun poli, c'est toujours ça. La proximité va vous obliger à vous boucher les oreilles, nous l'avons vu et, par voie de conséquence, à ne jamais commenter ce qui se passe autour de vous.

Si Simone et Christophe ont des conversations privées, vous n'êtes pas censé les écouter. Vous ne demanderez donc des nouvelles de leur famille ou de leur vie sentimentale ni à l'un ni à l'autre.

A fortiori, vous ne jugerez pas vos voisins s'ils n'appartiennent pas à votre service : ils donnent sans cesse des coups de fil personnels ? Grand bien leur fasse. Autant que possible, ne commentez pas ces appels, ne soupirez pas, l'air agacé, dès qu'ils raccrochent. En revanche, si ces indélicats sont des collaborateurs directs et que vous avez la sensation de travailler tout seul parce que Christophe règle ses problèmes domestiques au lieu de vous aider, il est légitime de réagir. Prenez un air détaché et, sur le ton de l'humour, tâchez de lui expliquer qu'au bureau on est censé consacrer plus de temps à travailler qu'à prendre des nouvelles de son entourage. Soyez souriant, dites-lui qu'il a bien de la chance d'être amoureux mais que vous êtes en retard sur un dossier essentiel et que vous avez du mal à vous concentrer. Tentez de l'amadouer et il vous remerciera, peut-être, de votre honnêteté.

Si un employé écoute de la musique sur son ordinateur, il est normal que vous réagissiez. On a beau être mélomane, il ne faut pas exagérer ! Qu'il comprenne que vivre en groupe, ce n'est pas forcément survivre dans la jungle, ou demandez-lui tout simplement de baisser le son ! Chacun doit respecter le pré carré de l'autre, même si cela lui pèse.

Les règles de la discrétion, en contrepartie, impliquent d'éviter d'interrompre à tout bout de champ vos collègues, par exemple en regardant par-dessus leur épaule lorsqu'ils travaillent sur leur ordinateur (une manie très, très énervante) et, pis, de lancer tout haut et devant témoins à Simone : « Tiens, tu as vu des choses intéressantes sur le site de La Redoute ? » Ne les interpellez pas d'un bout à l'autre de la pièce (sachez qu'entre vous et Simone quinze personnes essaient de se concentrer), ne faites pas grincer votre chaise pivotante toutes les trois secondes, ne hurlez pas au téléphone. Et vous, mesdames, attention aux bracelets qui cognent contre votre bureau : ils pourraient provoquer chez les âmes sensibles de terribles migraines. Bref, réfléchissez à tous ces bruits qui horripilent.

D'après une enquête très sérieuse, 60 % des gens qui travaillent dans un open-space souffrent d'être épiés. Donc respectez cette règle fondamentale : l'attention aux autres. On n'observe pas sans cesse ce qui se passe chez son voisin, on ne jette pas un coup d'œil à sa montre lorsqu'il part pour déjeuner ou lorsqu'il enfile son manteau pour rentrer chez lui. Si vous n'êtes pas son supérieur hiérarchique, vous n'avez pas à intervenir, quoi qu'il fasse. Et les réflexions faussement sympathiques, après un retour de déjeuner qui vous semble tardif, du genre : « Tu aimes la cantine ? Moi je la trouve sinistre » ou « Tu sais, trop de café, c'est mauvais pour la santé », vous les gardez pour vous.

La configuration en open-space a ses inconvénients. Pour rendre supportable cette nouvelle façon de travailler, respectez ces quelques règles de courtoisie plutôt basiques.

Profitez du bon côté des choses, se retrouver tous ensemble dans une même pièce a aussi ses avantages. Cela permet par exemple de développer l'esprit d'équipe, de resserrer les liens. Et puis, quand Simone narrera dans les détails ses problèmes intestinaux au téléphone, vous n'aurez pas le droit, soit, de le lui reprocher, mais, bonne nouvelle, ce sera l'occasion de raconter à vos camarades de l'étage les détails de la conversation et de piquer quelques fous rires. Ce n'est pas très gentil ? C'est vrai. Mais c'est tellement bon de se défouler ne serait-ce que cinq minutes. Un peu de mauvais esprit ne fait de mal à personne, n'est-ce pas ?

UN BUREAU À SOI

« *L'ordre permet de retrouver rapidement
ses affaires : efficace pour optimiser son temps.
Accessoirement, il en émane un certain bien-être
visuel, utile, sachant que certaines évaluations
de fin d'année en tiennent compte.* »
« *Challenges* »

Vous faites peut-être partie de ces chanceux qui ont droit à un bureau pour eux tout seuls. C'est devenu un véritable luxe. Mais c'est aussi un reflet de votre personnalité. Si vous accueillez des rendez-vous dans votre antre, faites en sorte qu'on s'y sente bien.

Votre bureau doit être rangé. Je me souviens avec un certain amusement de cet éditeur avec lequel je travaillais. Lorsque j'entrais dans son bureau, il fallait que j'escalade des montagnes de manuscrits avant de parvenir jusqu'à lui. Entre deux piles de classeurs crasseux, j'apercevais sa silhouette. Arriver à destination sans se briser les os relevait de l'exploit. J'exagère à peine et, cent fois, je lui ai expliqué combien cet endroit n'était propice ni aux rendez-vous ni aux discussions à bâtons rompus. Les personnes censées être attendues ne savaient pas où s'asseoir : les fauteuils étaient couverts de dossiers. Un accueil charmant, vraiment. Et les pauvres visiteurs de se demander s'ils étaient les bienvenus. Si vous vous reconnaissez dans ce portrait de l'incorrigible conservateur, celui qui ne sait pas jeter ne serait-ce qu'un vieux journal, ceci est pour vous.

Une fois par semaine, saisissez un sac-poubelle. Faites vous-même le tri : ne vous faites aider de personne car, si un jour vous ne parvenez pas à mettre la main sur ce fichu bout de papier indispensable, vous ne pourrez vous en prendre qu'à vous-même. Jeter est le secret d'un bureau bien rangé, il va falloir l'admettre.

Si vous êtes de ceux qui aiment l'ordre, je vous tire mon chapeau. Avoir un bureau impeccable est une marque de respect pour les autres comme pour soi-même. Et une preuve irréfutable de votre sens de l'organisation. Mais attention à ne pas rendre ce lieu aseptisé. Tentez – même si certains immeubles modernes ne s'y prêtent pas – de rendre votre lieu de travail sympathique et chaleureux.

Vous aurez sans doute l'autorisation de le décorer à votre guise. Il suffit de peu de chose : quelques reproductions aux murs, une plante verte, une jolie lampe, par exemple, et les personnes que vous recevrez se sentiront à l'aise. Attention tout de même à ne pas transformer votre bureau en un lieu trop personnel : inutile d'afficher toutes vos photos de famille ou d'apporter vos bibelots ; ce serait ridicule et déplacé. Disposez deux sièges en face de vous. Il est plus cordial de discuter côte à côte avec un client, sans le rapport « maître à élève » qui peut intimider.

Doit-on laisser sa porte ouverte ? Il me semble que le côté « Je m'enferme à double tour » est un peu dépassé et adresse à vos collaborateurs un message peu convivial. Je comprends qu'il vaille parfois mieux s'isoler pour passer ses communications ou recevoir ses visiteurs. Mais lorsque vous travaillez en équipe, pour plus d'efficacité, vos collègues doivent pouvoir passer une tête pour, par exemple, vous demander un renseignement. À la condition, bien sûr, d'être brefs et de ne pas débarquer sans cesse pour une broutille. S'ils n'osent pas vous déranger, dites leur qu'ils pevent le faire. Vous donnerez, c'est sûr, l'impression d'être quelqu'un de communicatif et, cerise sur le gâteau, qui n'a rien à cacher. On vous respectera pour ça et le climat de travail sera plus détendu.

LE RESTAURANT D'ENTREPRISE

« Ne parlez pas la bouche pleine à vos collègues.
Il n'y a rien de plus répugnant que quelqu'un
qui vous crache des aliments à la figure
quand vous avez une conversation. »
site Work etiquette

La plupart des grandes sociétés ont leur propre restaurant d'entreprise. On ne dit plus « cantine », cela rappelle trop de mauvais souvenirs. À présent, lorsqu'on n'a pas envie d'aller se balader entre midi et deux, lorsqu'on n'a pas de déjeuner professionnel, il suffit, en général, de prendre l'ascenseur pour se retrouver entre employés pour partager un repas.

Ce n'est pas parce que vous êtes « entre vous » qu'il faut oublier les bonnes manières ! Attendez votre tour pour accéder à votre plateau, et cela même si vous êtes hiérarchiquement en haut de l'échelle. Vous êtes pressé ? Tout le monde l'est. Arrivé au stand où l'on sert vos plats, n'oubliez pas de saluer l'employé avant de lui commander ce que vous souhaitez pour votre déjeuner. Remerciez-le également et souriez, s'il vous plaît ! Vous n'êtes pas du tout obligé de regarder ce que choisit votre voisin ou votre voisine. Dire à Simone, qui fait un régime draconien depuis des mois : « Un dessert ? Tu es sûre ? » est extrêmement indiscret et désagréable ! Mêlez-vous de vos affaires. Avant de vous asseoir, vérifiez que vos collègues déjà attablés n'attendent personne. Dans le cas contraire, installez-vous ailleurs. Dans ces restaurants – surtout si l'entreprise est grande –, on croise des gens avec qui on n'a pas forcément de contacts de travail : profitez-en pour mieux faire connaissance et, pourquoi pas, pour vous présenter à des confrères de nouveaux services. Cela profitera au climat général de l'entreprise ainsi qu'à vous-même ! Inutile, donc, de rester constamment avec vos collègues de bureau : faire bande à part peut donner une mauvaise image et certains pourraient imaginer que vous conspirez. Soyez ouvert, c'est le B. A. BA du parfait collaborateur. Le moment des repas doit être détendu, évitez autant que possible de parler travail. N'en profitez pas, par exemple, pour faire avancer le dossier Durand ou pour relancer tel ou tel sur un sujet qui traîne en longueur. Lancer, entre la poire et le fromage : « J'attends toujours une réponse à mon mail d'hier » est le meilleur moyen de passer pour un gougnafier. Interrogez plutôt vos voisins sur leurs loisirs sans pour autant être indiscret.

Avant de commencer le repas, je vous rappelle qu'on ne dit jamais « Bon appétit », de même qu'on proscrira « Santé » en levant son verre. On ne fait pas de bruit en mangeant, on ne parle pas plus fort que les autres, mais vous saviez déjà tout cela, bien sûr. Quand vous aurez terminé le déjeuner, ce sera généralement à vous de rapporter votre plateau, ne l'oubliez pas, vous donneriez du travail supplémentaire aux employés du restaurant. Ils ont déjà largement de quoi s'occuper et vous préférerez sûrement qu'ils vous accueillent dans la bonne humeur la prochaine fois.

Même si vous n'en pouvez plus de votre patron et que la pression est insupportable, ne traînez pas des heures avant de remonter travailler. Ce n'est pas une question de savoir-vivre, mais plutôt de prudence : la réputation du « salarié qui s'éternise à la cantine » a la peau dure !

SAVOIR SE TENIR

BUREAU ET VIE PRIVÉE

« Ne racontez pas votre vie à vos collègues.
Tenez-vous vraiment à ce que tout votre bureau
sache que votre oncle John a été arrêté
pour atteinte aux bonnes mœurs hier dans la nuit
ou que votre tante Alice a une histoire
avec le plombier du voisin ? »
Kristie Leong,
spécialiste en bonnes manières

Vous êtes d'un tempérament chaleureux ? Vous racontez facilement votre vie ? Attention à cette attitude qui consiste à vouloir à tout prix mélanger bureau et vie privée. Vous pourriez, un jour, le regretter.

Si vous êtes bavard, et que vous ne pouvez vous empêcher de détailler, chaque jour, votre soirée de la veille à tous vos collaborateurs, méfiance. Si vous commencez comme ça, il y a fort à parier que, dans quelques mois, vous aurez tout dit de vos déboires sentimentaux ou de vos difficultés avec votre fille aînée, adolescente à problèmes. Avant de vous lancer dans des élucubrations d'ordre privé, posez-vous d'abord quelques questions.

1) Avez-vous songé une seconde que vos problèmes sont plutôt banals et que le chef compta a certainement les mêmes à la maison ?

2) Oui, ce même chef compta qui se donne un mal fou pour se concentrer uniquement sur ses chiffres et non sur sa vie conjugale.

3) Demandez-vous si, pardon d'être brutale, vos tracas intéresseraient quelqu'un dans l'absolu.

4) Imaginez que le chef compta, en retard sur le bilan annuel, n'ose peut-être pas vous dire qu'il n'a pas le temps d'écouter vos jérémiades.

5) Savez-vous que, tandis que vous pleurnichez sur l'épaule du chef compta, vous ne faites pas votre boulot et que l'on commence à s'en plaindre ?

6) Et si le chef compta racontait à tout le service que vous commencez à le fatiguer avec vos angoisses existentielles ?

7) Réfléchissez au fait que les doléances du chef compta à votre sujet vont alimenter toutes ses conversations avec le responsable informatique qui va lui-même se lasser.

Ces quelques interrogations devraient, je l'espère, vous faire prendre conscience du ridicule de la situation. Si, réellement, vous avez de gros problèmes et que vous ne parvenez pas à tenir votre langue, choisissez quelqu'un en qui vous avez une totale confiance. Et préférez attendre l'heure du déjeuner pour vous soulager.

À l'inverse, n'essayez pas de tout savoir de l'intimité de vos collègues. Vous mettriez mal à l'aise la plupart de ceux que vous interrogeriez. Et ce que vous pensez être votre atout charme, la chaleur humaine, se transformera bien vite en handicap majeur : l'indiscrétion. Vous pouvez toutefois demander des nouvelles de la santé de chacun ou de la réussite au bac du fils d'un collaborateur. Sachez seulement dominer et surtout doser votre célèbre cordialité. Un peu de retenue, beaucoup de bonne humeur et vous voilà paré.

LE RETARD

« Décaler un rendez-vous pour arranger
les retardataires est non seulement injuste
envers ceux qui sont arrivés à l'heure mais
cela les incite à ne plus être ponctuels. »
Calvin Sun,
expert en savoir-vivre professionnel.

Pour une raison obscure, certains individus sont systématiquement en retard. C'est déjà un terrible défaut dans la vie de tous
les jours. Mais être inexact dans son travail peut avoir des conséquences plus lourdes qu'on ne l'imagine. Ce que vous ne savez peut-être
pas, vous, les retardataires notoires, c'est que votre comportement
peut donner une image peu flatteuse de vous : celle de l'étourdi, au
mieux, mais aussi celle du « je m'en foutiste », de l'irrespectueux, de
l'inconséquent. Et ça, croyez-moi, c'est plus grave.

Celui qui vous attend depuis un quart d'heure au restaurant, et
qui était a priori plein de bonnes intentions à votre égard, peut changer d'avis. Il ne sait qu'une chose : vous le faites attendre. Vous n'êtes
donc pas impatient de le voir et vous avez sûrement autre chose en
tête que ce fameux contrat sur lequel vous travaillez depuis des
mois. Oui, même s'il jure le contraire, s'il se prétend ravi d'avoir pu
éplucher à loisir le journal, c'est à peu près ce que se dit cet homme

délaissé lorsque vous arrivez enfin. Or il existe à présent quantité de moyens d'annoncer vos difficultés à arriver en temps et en heure à un rendez-vous : ne vous en privez pas. Le téléphone portable ne sert pas seulement à prendre des nouvelles de vos enfants. Il peut, éventuellement, vous permettre d'avertir que vous serez en retard. Mais que ça ne devienne pas une raison pour abuser de cet engin miraculeux et se permettre d'être encore plus inexact. Dans certains pays, on ne voudrait déjà plus travailler avec vous. Si, toutefois, vous ne pouvez, exceptionnellement, pas faire autrement, excusez-vous dès votre arrivée et passez à autre chose, c'est-à-dire au vif du sujet. Inutile de raconter pendant deux heures que le camion poubelle vous a bloqué la route ou qu'il y a eu un « incident voyageur » dans le métro. Et n'en rajoutez pas trop non plus, en arrivant échevelé, à bout de souffle et en nage, en pauvre victime sur laquelle le destin s'est acharné. Cela risque d'exaspérer encore davantage votre inter-locuteur qui, lui, comme par hasard, est attablé depuis l'heure dite.

Pour éviter ce genre de situation, si on vous annonce une réunion à 9 heures, soyez là dix minutes avant. Faire attendre vingt personnes parce que vous avez eu une panne d'oreiller provo-quera l'embarras de toute votre équipe. Et elle s'en souviendra, car inexactitude rime avec irrespect, donc mépris de l'autre. Et celui qui se sent méprisé a tendance à vous le faire payer à un moment ou à un autre ! Est-ce vraiment cette réputation-là que vous voulez trim-baler pendant des années ?

En revanche, tout le monde appréciera votre ponctualité. Vous serez celui ou celle en qui l'on peut avoir confiance. En outre, vous gérerez mieux et plus efficacement votre emploi du temps si vous respectez les horaires. Pensez que, si vous vivez en perpétuel décalage, vous serez continuellement stressé et perdrez du temps à déplacer vos rendez-vous et réorganiser vos plannings au lieu de travailler. Être à l'heure montrera à tous votre grand professionnalisme. Ce n'est quand même pas rien.

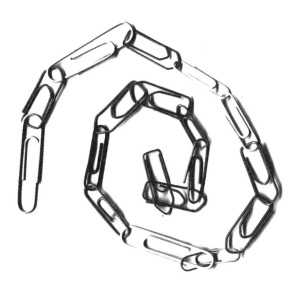

LA CIGARETTE

*« Un fumeur moyen consacre chaque jour
une heure à une heure trente à la pause cigarette :
certaines entreprises décomptent
déjà ces pauses. »*
Un responsable de la méthode
Allen Carr

———————

Depuis le 1ᵉʳ février 2007, le Code de la santé publique interdit de fumer dans les entreprises. Fini le temps de la petite cigarette entre collaborateurs, bien au chaud dans son bureau. Les irréductibles devront sortir et s'adonner à leur péché mignon sur le trottoir. Ils n'ont pas le choix . . .

Oubliez l'idée même de la cigarette à l'intérieur des locaux de l'entreprise. On ne fume plus du tout dans son bureau, même pas discrètement à la fenêtre quand tout le monde est parti. C'est interdit et, si vous dérogez à cette règle, vous pourrez être sanctionné, alors il va falloir vous y faire. Avant peut-être de décider d'arrêter définitivement, vous avez tout de même le droit de sortir pour fumer. Inutile d'inciter celui qui n'y pense pas à s'absenter avec vous, histoire de déculpabiliser. Dehors, vous croiserez sans doute ceux qui, comme vous, ont eu une grande envie de nicotine. N'en profitez pas pour discuter pendant un quart d'heure avec la complicité de ceux qui se sentent en faute. Les conversations, qui tournent toujours à peu près autour des derniers tuyaux pour arrêter, sont d'une indigence à vous ôter l'envie de fumer ! Ne jetez pas vos mégots par terre : il y a généralement des cendriers prévus à cet effet au pied des immeubles. Sinon, écrasez-les et jetez-les dans une poubelle. Et puis, en rentrant, pensez à manger un petit bonbon à la menthe, c'est souverain pour les haleines de fumeurs !

Tout le monde n'a pas la chance d'avoir un bureau au rez-de-chaussée et, lorsqu'on travaille au 42e étage d'une tour, le trajet aller-retour est long ! Une petite pause peut alors se transformer en grand moment d'absence. Pensez-y avant qu'une bonne âme y pense pour vous ! Au cours d'une réunion qui s'éternise, tâchez de rester calme et n'interrompez pas tout pour céder à votre besoin de nicotine. Les non-fumeurs ne comprendraient pas. Et vous prendraient pour un grand nerveux un peu instable. Oui, le bureau sans tabac a largement compliqué les choses pour les fumeurs. Mais cette loi, même si vous la maudissez, ne doit en aucune manière avoir des répercussions sur votre travail. Ni sur votre humeur. Pour bien faire, il faudrait que personne ne remarque un quelconque changement dans votre attitude. Alors il vous reste les patchs et les pastilles spécialement conçus pour les « dépendants ». Et à vous armer de courage !

SAVOIR REMERCIER

« Souvenez-vous qu'un mot de remerciements
maladroit mais bien senti est largement
préférable à un message parfaitement rédigé
que vous n'écrirez jamais. »
Anne-Marie Sabath,
auteur de « Business Etiquette in Brief »

———————

Dire merci m'a longtemps semblé une sorte d'automatisme. Un peu comme « aïe » lorsqu'on se fait mal. Quelle naïveté. Aujourd'hui, on oublie souvent d'exprimer sa gratitude à ceux qui nous ont rendu un service. Gageons que vous avez toujours pensé à remercier ceux ou celles qui vous ont obtenu une promotion. Ne vous arrive-t-il pas toutefois d'oublier de faire de même avec l'assistant qui vous passe un appel ou vous apporte un dossier ? Avec l'homme qui vous tient la porte pour vous laisser passer ? Sans parler de la stagiaire qui vous fait des photocopies ? Posez-vous cette question gênante : ai-je la même attitude avec ceux qui sont en haut de l'échelle et avec ceux qui sont en bas ? J'espère que la réponse est oui. Sinon, je suis navrée pour vous.

Savoir remercier n'est pas un art sophistiqué. Cela ne demande pas beaucoup d'efforts et pourra vous aider à vous forger un solide réseau de fidèles ravis de travailler avec vous et de le faire savoir. Dites merci cent fois par jour si cent fois on vous a tendu un dossier. Il n'y en aura jamais un de trop.

On a déjà indiqué qu'après une invitation à déjeuner il est recommandé de remercier le lendemain par écrit. Un mail, une petite carte et le tour est joué. Sachez que, si le manque de courtoisie peut freiner une carrière, les détails du savoir-vivre peuvent, au contraire, l'accélérer. Paraître n'attacher aucune importance à une invitation, avoir l'air de trouver cela parfaitement normal, ne prouve pas votre supériorité, mais votre goujaterie, voire votre mépris. Et ne donne pas envie de vous recevoir à nouveau.

Si l'on vous fait parvenir un cadeau, n'attendez pas avant de remercier. D'abord parce que cela ne se fait pas, ensuite parce que le généreux donateur, sans cela, ne saura pas si vous avez bien reçu son présent. Il est toujours gênant, si l'on a envoyé des fleurs, d'avoir à appeler le fleuriste ou même leur destinataire pour vérifier que les pétunias sont arrivés à bon port !

Remercier doit être systématique. Si cette évidence n'est pas gravée dans votre cerveau, attendez-vous à de gros problèmes. À bon entendeur…

SAVOIR S'EXCUSER

« Soyez toujours honnête, reconnaissez
vos erreurs et apprenez à présenter vos excuses –
c'est moins difficile que vous le pensez.
À l'inverse, soyez magnanime: acceptez
les excuses des autres et ne soyez pas rancunier. »
Tracy Riddiford,
auteur de « Communication Intelligence »

Savoir dire « pardon » devrait s'enseigner à l'école. J'ai, pour ma part, appris très tard à m'excuser. Mais ce fut une libération. Ce que j'avais pris pendant des années pour de la faiblesse est devenu tout au contraire une manière confortable de prouver mon honnêteté. Vraiment, dire que l'on s'est trompé et en être contrit apparaît comme la preuve que l'on n'est pas Superman mais beaucoup mieux que ça : une personne loyale. Alors, pourquoi s'en priver ? Je comprends bien qu'il est délicat d'avouer ses défaillances auprès de ses collaborateurs, mais, s'ils sont assez bêtes pour vous juger de ce fait incompétent, ils ne méritent pas de travailler avec vous ! Faites-leur savoir qu'un jour ce sera à eux de s'excuser d'avoir perdu un client parce qu'ils ont commis une petite erreur. Et qu'ils ne l'oublient pas !

Demander pardon peut dissiper bien des malaises. Vous avez un jour parlé trop durement à votre assistant ? Vous vous rendez compte de l'injustice de vos propos ? Aller sans tarder lui dire que vous êtes désolé. Cela ne fera qu'améliorer vos rapports, et sachez que l'assistant en question vous sera d'autant plus dévoué. Vous ne concevez pas une telle situation ? C'est qu'en France les excuses aux subordonnés sont rares. Rien ne vous empêche de changer les mentalités !

Si vous n'avez pu assister à un cocktail, une réunion, un rendez-vous, n'attendez pas non plus des jours et des jours avant de vous excuser. Le plus vite sera le mieux, et on ne devrait pas (trop) vous en vouloir, surtout si vous invitez votre hôte à déjeuner pour être tout à fait pardonné. La grande différence entre la vie privée et la vie professionnelle, c'est que vos amis, en général, ne se font pas une fausse idée de vous. Ils savent que vous êtes honnête et respectueux. En revanche, vos interlocuteurs de travail n'ont pas forcément une opinion très nette de votre caractère. Ne vous faites pas, par inadvertance, une réputation de déplaisant et de léger, qui a mille autres choses à penser que s'excuser d'un retard ou d'une phrase maladroite. Un petit mot, un sourire, pourrait bien vous sortir de tas de situations embarrassantes. Pensez-y la prochaine fois que vous vous apercevrez que vous avez eu tort !

LES RAGOTS

« L'auteur des commérages peut être découvert.
Et, vous qui les relayez, vous risquez
de compromettre vos chances d'obtenir
une augmentation, et même d'être renvoyé
pour avoir participé à la calomnie. »
Kate Zabriskie,
communication skills trainer

———————

Bien sûr, vous n'êtes pas parfait. Aussi, lorsque vous apprenez que Marie-Sophie est très amie avec la femme du patron, et qu'immédiatement vous subodorez un lien de cause à effet entre cette amitié et sa fabuleuse promotion, il va vous falloir un flegme surhumain pour ne pas raconter la nouvelle à tout le service. Mais tenez bon ! Car les ragots, les médisances ne servent qu'à une chose : soulager vos petits agacements quotidiens, vérifier que vous n'êtes pas le seul à trouver Marie-Sophie trop ambitieuse et, surtout, faire partie d'un clan – celui de ceux qui ne vivent bien uniquement s'il y a plus malheureux qu'eux, plus nuls, plus paresseux, plus ennuyeux. Dès vos premiers pas dans l'entreprise, mettez les points sur les i avec politesse, mais détermination. Il est probable qu'un charmant collaborateur s'empresse de vous tenir informé de qui est qui « en vrai ». M. Martin est très souriant ? Oui, mais cela cache son opportunisme à

toute épreuve. Mme Durand a l'air inoffensif ? Oui, mais c'est elle qui a le pouvoir de vous mettre au placard en moins de deux. Lorsque vous croiserez ce genre d'individus, ceux qui commencent toutes leurs phrases par : « Méfie-toi de », passez votre chemin. Vous êtes assez grand pour vous faire votre opinion. Ce roi du ragot est certainement frustré et vous ne serez pas l'oreille attentive qu'il attendait. Quand il aura fini son discours, souriez, acquiescez s'il le faut et fuyez. Vous ne répéterez évidemment rien de ce qu'il vient de vous dire. Attention tout de même à ne pas le vexer, en lui disant quelque chose comme « ce ne sont pas tes affaires ». Car il pourrait se venger bassement – vous avez déjà pris conscience de son pouvoir de nuisance – et vous deviendriez « ce pleutre qui ne veut pas se mouiller ». Le mieux est encore de ne rien dire.

Quant aux jaloux, à ceux qui vous en veulent parce que vous

gagnez plus d'argent ou que vous êtes dans les petits papiers du patron, si vous avez affaire à eux, faites encore une fois le dos rond. Vous savez pertinemment qu'ils n'attendent qu'une chose : que vous commettiez une erreur et, croyez-moi, ils ne vous manqueront pas. Finalement, c'est pour vous un moyen de travailler avec encore plus de sérieux. Surtout, ne rentrez pas dans leur jeu. Tâchez de garder une humeur égale comme si vous n'aviez rien remarqué. Ils finiront par se lasser.

Ce tableau est bien noir, et la situation pas toujours si pénible. Si, cependant, vous reconnaissez certains de vos collaborateurs dans ce portrait peu flatteur, mettez-vous au yoga. Une discipline souveraine pour rester zen !

AVEC
SON PATRON

Savoir refuser une extravagance

Écouter et être écouté

Assumer l'heure de son départ

Demander une augmentation

SAVOIR REFUSER UNE EXTRAVAGANCE

« N'entrez pas dans une logique d'opposition systématique, mais entraînez-vous à donner votre point de vue en toute circonstance. »

Philippe Sgroï, consultant à la Cegos.

Dire non à son patron n'est pas une faute. Juste, dans certains cas, un moyen de survie. Ce n'est pas parce que vous êtes salarié d'une entreprise que vous devez être servile. Soyez soumis et votre réputation est faite. Car tout le monde saura que vous êtes celui (ou celle) à qui l'on peut demander n'importe quoi puisque vous n'osez jamais rien refuser. Votre patron, en premier lieu, qui vous enjoindra de mentir pour lui, de renvoyer les importuns, bref, qui vous nommera officieusement « spécialiste en basses besognes ». Cette situation ne peut qu'aller crescendo. C'est pourquoi il faut très vite arrêter les frais et dire non à toutes les extravagances de celui qui dirige votre service. S'il vous demande de boucler un dossier énorme le vendredi soir à 19 heures pour le rendre le lundi matin à 8 heures, de trouver un hôtel à Chamonix la veille des vacances de février, vous devez dire stop. Et expliquer votre attitude. Sachez argumenter posément, rien ne sert de vous mettre en colère ou de pleurer. Votre patron risquerait de vous trouver agressif ou pitoyable ! Dès le tout premier « caprice » de votre employeur, prenez l'affaire en main et soyez clair : vous ferez tout pour le bon fonctionnement de l'entreprise mais pour le reste, vous ne serez pas disponible. Si les choses sont exposées avec calme mais fermeté, elles devraient être entendues.

En revanche, ne déclinez pas systématiquement les requêtes de votre supérieur. Si certaines tâches qu'il vous confie vous semblent incongrues, assez éloignées de vos compétences, il essaie peut-être de vous tester : avez-vous l'esprit ouvert ? Serez-vous capable de suivre des affaires qui semblent sortir de votre strict domaine de compétence et éventuellement progresser dans l'entreprise ? Si vous refusez trop souvent, n'oubliez pas non plus qu'il peut, de guerre lasse, éviter de vous confier certains dossiers par peur d'un refus de votre part. Ne vous plaignez pas, plus tard, qu'il n'ait pas confiance en vous. C'est pourquoi, exceptionnellement et quand vous avez un peu de temps, vous pouvez accepter de rendre quelques services. Il faut juste que ça ne devienne pas une habitude. Essayez de déterminer avec lui les limites de vos attributions. Quand elles seront bien définies, il ne devrait plus y avoir de problèmes.

ÉCOUTER ET
ÊTRE ÉCOUTÉ

*« Ne pas écouter vos collaborateurs peut
provoquer des incompréhensions plus ou moins
importantes. Combien de graves erreurs
ont été commises sur un malentendu ? »*
Mercedes Alfaro,
Présidente de First Impression Management

––––––––

Vous avez rendez-vous chez votre dentiste à 17 heures. Il est 16 h 45 et M. Martin vous tombe dessus pour vous expliquer son problème avec le dossier Dupond. Bien sûr, vous pourriez lui dire que vous n'avez pas le temps de l'écouter. Sauf que ce n'est pas possible, car M. Martin est votre patron et que vous espérez une augmentation. Il va falloir ronger votre frein et adopter une attitude faussement attentive. Voici quelques trucs qui vont vous permettre de penser à tout à fait autre chose sans que votre supérieur s'en rende compte :

1. À la fin de chacune de ses (interminables) phrases, hocher la tête et faites quelques « Ah oui » ou « Ah bon ».

2. Tenez-vous bien droit et les yeux fixés sur lui (n'ayez surtout pas le regard vague).

3. Répétez parfois ce qu'il vient de dire : « 10 000 euros ? Ah oui, c'est beaucoup. »
Si vous avez l'air d'avoir tout compris, M. Martin vous laissera tranquille et, avec un peu de chance, vous serez à l'heure à votre rendez-vous.

Plus sérieusement, il est toujours bien d'écouter. Cela vous évitera d'être la dernière roue du carrosse, celui qui n'a pas tous les éléments en main et qui ne comprend pas vraiment en quoi consiste le dossier Dupond. Si vous êtes attentif, on pensera que vous êtes l'élément sur lequel on peut compter, à tout le moins quelqu'un de poli qui n'interrompt pas sans cesse les autres, qui ne bâille pas quand on lui parle, comme je l'ai souvent vu faire : une situation très pénible pour celui qui se donne du mal à vous exposer un problème.

Quand c'est à votre tour de parler, que vous voyez bien que votre patron a mille autres choses à penser, essayez de capter son attention. Votre énergie doit être contagieuse. Tenez-vous bien droit, soyez souriant, enthousiaste, positif. Si vous débutez votre exposé en disant que rien ne va, il y a fort à parier qu'il écourtera votre entretien. Commencez par demander des nouvelles, faites un peu d'humour. Prononcez son nom de temps à autre et regardez-le dans les yeux. Insistez sur le fait qu'il est important qu'il sache pourquoi vous lui avez demandé un rendez-vous. Tâchez d'instaurer un dialogue relativement décontracté ou, pourquoi pas, une conversation à bâtons rompus. Et puis, surtout, éteignez votre portable : il est, pour l'heure, la seule personne au monde à qui vous avez quelque chose à dire et il doit le sentir ! Le secret, pour être sûr d'être écouté, est peut-être tout simplement l'heure à laquelle vous prévoyez la rencontre. Pas trop tôt le matin, pas trop tard le soir. Renseignez-vous, s'il le faut, auprès de son assistante, sur le moment le plus propice. Si vous constatez que le jour est mal choisi, qu'il est débordé ou de très mauvaise humeur, laissez tomber. Et prenez rendez-vous pour le lendemain si ce n'est pas urgent. Ce sera plus agréable pour tout le monde !

ASSUMER L'HEURE DE SON DÉPART

*« Apprendre à gérer votre temps
réduira votre stress tout en augmentant
votre productivité. »
The Small Business Daily Buzz*

Dans l'esprit de tous, M. Durand, chaque jour le dernier parti, est celui qui travaille le plus. Et si vous vous trompiez ? Et si M. Durand était simplement désorganisé, ou pis, s'il n'avait pas envie de rentrer chez lui ? Quant à vous qui sortez tôt du bureau parce que vous avez fini ce que vous aviez à faire : assumez !

Beaucoup d'employés arrivent tôt le matin. Certains accompagnent leurs enfants à l'école et vont directement au bureau. D'autres aiment le calme, lorsque le téléphone ne sonne pas encore et qu'ils peuvent régler toutes sortes de choses en paix. Cela devrait être normal dans ce cas qu'ils rentrent plus tôt, après une journée harassante, du moins bien remplie. Mais tous ne voient pas cela d'un très bon œil : « Encore un fonctionnaire qui part à 18 heures ! » ou « Il travaille à mi-temps ou quoi ? » sont les réflexions que l'on entend à peu près dans tous les bureaux. Comme si partir à l'heure contractuelle signifiait obligatoirement que l'on fait le minimum syndical. Bien sûr, tout cela est faux la plupart du temps ! Dans cette nouvelle ère de l'open space, tout le monde sait tout sur tout le monde (voir le chapitre « Open space » p. 114), et tout le monde, par voie de conséquence, se sent plus ou moins épié. Ne pas finir à 21 heures peut, dans certaines sociétés, être considéré comme un manque de bonne volonté et risque même d'éveiller des soupçons ! Seulement voilà : dans beaucoup de métiers, il y a des périodes de calme, où, même si personne ne l'avoue franchement, on a moins à faire. C'est forcément ainsi dans votre entreprise : quand vous avez terminé ce que vous aviez à faire, rentrez chez vous, et peu importe l'opinion des autres. C'est un pli à prendre, vous verrez ! Rien ne sert de traîner : vous perdez votre temps et vous risquez de prendre votre travail en grippe.

Au cas où cela vous embarrasserait malgré tout, parlez-en à votre supérieur et à vos collaborateurs. Expliquez-leur que vous savez ce que vous faites, que vous êtes organisé et responsable. Ils comprendront. Soyez toujours sûr de vous : ne partez pas discrètement, dès que vos collègues ont le dos tourné. Non seulement vous seriez ridicule, mais on aurait la nette impression que vous filez à l'anglaise. Bien au contraire : assumez l'heure de votre départ. Ne vous cachez pas, dites au revoir à tout le monde avant d'enfiler votre manteau et partez d'un pas assuré. Vous ne le savez pas mais, quelques secondes plus tard, M. Durand pourrait bien vous emboîter le pas.

DEMANDER UNE AUGMENTATION

*« Si vous n'apprenez pas à exprimer que,
du fait de vos compétences, vous méritez une
augmentation, vous n'en obtiendrez jamais. »
Francie Dalton,
consultante en business*

Parler d'argent, en France du moins, est perçu comme une faute de goût. Il y a cependant des moments où ne pas le faire peut relever d'un manque de professionnalisme. Demander une augmentation est peut-être l'un des épisodes les plus désagréables de votre carrière. Celui où vous devez convaincre que vous méritez un meilleur salaire parce que vous êtes le meilleur !

Avant de songer à demander une augmentation, pesez le pour et le contre. Faites deux colonnes : les bonnes et les mauvaises raisons d'aller voir votre directeur. Avez-vous l'impression d'avoir évolué ces derniers temps ? Avez-vous fait vos preuves dans votre service ? Ne voulez-vous pas plus d'argent uniquement parce que vous avez un prêt à rembourser ? Ou parce que vous avez appris que Durand gagnait plus que vous pour le même travail ? Soyez honnête avec vous-même et, si vous êtes tout à fait sûr de mériter une augmentation, lancez-vous.

Ne vous faites pas un monde de cet entretien. Si vous débarquez tremblotant, les mains moites, la voix peu assurée, cela commence mal. Je vous rappelle que, si vous êtes là, c'est que vous êtes certain de faire la bonne démarche. N'arrivez pas non plus convaincu du résultat des courses, les mains dans les poches en sifflotant, cela pourrait agacer. Soyez toujours courtois, souriant et poli, même si vous connaissez bien votre interlocuteur. Il faut que l'on comprenne que c'est un moment important pour vous. Ne minaudez pas et ne vous plaignez pas. Votre patron ne vous augmentera pas parce que vous êtes ravissante ou parce que vous habitez à une heure et demie en métro de la société. Bien au contraire, montrez comme vous êtes heureux dans l'entreprise, comme vous êtes prêt à évoluer et donnez des arguments solides sur votre compétence. Dans le cas où l'on vous demanderait combien vous espérez, ne soyez pas pris au dépourvu : vous avez préalablement étudié les salaires qui correspondent à votre poste. Donnez le chiffre qui vous paraît le mieux adapté, avec assurance. Ne vous lancez pas dans de longues diatribes sur le pourquoi du comment vous

méritez cette promotion. Votre patron pourrait croire que vous vous sentez obligé d'en rajouter pour dissimuler vos faiblesses.

Si votre discours a porté ses fruits et que le directeur confirme qu'il vous accorde cette augmentation, remerciez-le mais ne soyez pas trop démonstratif. On ne saute pas de joie quand on mérite une récompense ! Après tout, c'est votre compétence qui est distinguée et vous vous êtes donné du mal pour en arriver là.

Si, au contraire, vous sentez que l'affaire tourne mal, ne vous empêtrez pas dans un laïus pitoyable qui ne pourra que vous desservir pour la prochaine fois. Ne vous mettez pas à pleurer (qui pourrait croire après ça que vous saurez vous en sortir en cas de crise ?). Ne parlez pas d'un autre job que l'on vous aurait proposé (le patron pourrait vous dire de sauter sur cette bonne occasion). Ne comparez pas votre feuille de paye avec celle de votre alter ego (ce n'est pas très élégant). Ne faites pas pitié (« je n'arrive plus à payer la cantine du petit »). Et, bien sûr, ne tapez pas du poing sur la table : votre manque de sang-froid pourrait bien calmer la générosité de votre employeur ! Demandez-lui posément de réfléchir encore à votre demande et si vous pouvez espérer une évolution dans un avenir proche. Éventuellement, faites-lui comprendre que vous n'hésiterez pas à accepter l'offre d'un concurrent si l'occasion se présente.

Quoi qu'il en soit, ne partez pas sans lui serrer la main et n'oubliez pas de le remercier du temps qu'il vous a accordé. Soyez magnanime. On vous admirera pour votre fair-play et cela ne pourra que jouer en votre faveur.

AVEC
SES CLIENTS

Savoir parler avec tact d'autre chose

Les cadeaux

Dialoguer

SAVOIR PARLER AVEC TACT D'AUTRE CHOSE

*« On évite les conversations à écueils,
on veille à tenir tous les visiteurs
loin des mers dangereuses et orageuses
qu'on appelle religion et politique. »
Baronne Staffe,
« Usages du monde »*

Votre rendez-vous s'est bien passé. Vous sentez que M. Dupond est content d'avoir fait votre connaissance. Il vous propose d'aller prendre un verre pour se détendre ? Méfiance. N'oubliez pas que vous le connaissez à peine et que vous pourriez, par maladresse, tomber de votre piédestal.

Il arrive qu'un client sympathique décide de discuter avec vous de tout sauf de travail. Il est d'humeur guillerette, votre affaire est signée et, l'un comme l'autre, vous êtes satisfaits. Ne vous emballez pas trop vite. Car, à force de vouloir être complice, vous pourriez bêtement déraper. Certaines conversations sont à éviter. Connaissez-vous les idées politiques de M. Dupond ? Sûrement pas. N'allez donc pas donner les vôtres. Si vous n'aimez pas le président

de la République, n'en dégoûtez pas les autres ! Rien de plus maladroit que d'affirmer ses opinions de droite, de gauche ou du centre, sous prétexte que le sujet est forcément passionnant. Si, de son côté, il vous embarque dans ce genre de conversation et que vous n'êtes pas du tout d'accord avec lui, inutile de monter sur vos grands chevaux. Vous pouvez, certes, en débattre tout en restant le plus serein possible. Il serait dommage que le ton monte après une négociation si courtoise. Évitez également de parler de votre santé, ce qui n'intéresse a priori que vous et éventuellement votre famille. Votre dernière gastro fut pénible ? Désolée, mais cela ne doit pas faire partie de la conversation. Ne racontez pas non plus votre dépression de l'an passé : votre image en prendrait un coup. La famille est un sujet captivant pour presque tout le monde. Dire que vous êtes fier de vos enfants est une chose, donner, dans le détail, les raisons qui vous ont poussé à mettre l'aîné en pension parce qu'il était franchement insupportable en est une autre. M. Dupond commence à s'ennuyer, j'en suis sûre. Ce n'est pas parce que vous êtes en confiance, ou que votre troisième verre de bordeaux vous monte à la tête, que vous êtes autorisé à faire des confidences d'ordre privé. Vous omettrez donc de révéler votre aventure avec la chef du service marketing, ainsi que vos problèmes de divorce. Jamais vous ne dénigrerez vos collègues ou votre directeur. D'abord parce que c'est toujours désagréable de passer pour une mauvaise langue aigrie, ensuite parce que vous ne connaissez pas les relations de M. Dupont avec vos collaborateurs. Imaginez deux secondes qu'il soit ami avec l'un d'eux : vous seriez dans le pétrin. La religion est un sujet délicat. Vous ne connaissez pas les convictions de votre client et il est sans doute un peu tôt pour lui parler de votre intérêt très prononcé pour le bouddhisme. Quant à vos problèmes d'argent, M. Dupond s'en moque et a peut-être les mêmes à la maison. Et puis, franchement, il y a des sujets plus amusants.

Que tout cela ne vous empêche pas d'être drôle, curieux et brillant. Raconter son dernier voyage peut être passionnant (si, encore une fois, vous n'entrez pas dans les détails), parler d'une expo, d'un film, d'un restaurant où l'on fait le meilleur foie gras : il existe des milliers de sujets qui intéresseront M. Dupond. Sachez trouver lesquels.

LES CADEAUX

« Assurez-vous que votre cadeau
n'est pas trop luxueux, car il pourrait être perçu
comme une tentative de corruption. »
Site Work etiquette

Pourquoi faire des cadeaux dans la vie professionnelle ? Nous parlons ici au sens littéral du terme ! Offrir un livre, un porte-monnaie ? Envoyer des fleurs, des chocolats ? Parce que quelqu'un vous a facilité la tâche, qu'un client est fidèle ou simplement parce que c'est Noël. Mais attention à ne pas vous ruiner : on pourrait vous accuser de manquer de déontologie.

Vous savez bien que l'on ne vous aimera pas plus parce que vous êtes généreux. Rien ne sert de faire un cadeau à un client pour un oui ou pour un non. Non seulement ce serait grotesque, mais le client se sentirait bien vite en porte à faux, pour ne pas dire embarrassé par tant de largesse. Sachez offrir au bon moment le petit présent qui touchera et qui satisfera tout le monde : le donateur parce qu'il montre ainsi sa gratitude, le bénéficiaire parce qu'il n'en attendait pas tant. Surtout restez mesuré. Offrir une montre de marque, par exemple, est une énorme erreur. Le client pensera immédiatement que vous voulez l'acheter ou, pis, que vous avez une idée pas

très professionnelle derrière la tête ! Pour les femmes, pensez à envoyer des fleurs avec un mot. Faites attention tout de même au choix du bouquet. La commande par téléphone peut s'avérer catastrophique. Et Mme Martin pourrait bien se retrouver avec un pot de chrysanthèmes orange du plus mauvais goût. Optez pour les roses : elles sont rarement décevantes (attention aux roses rouges qui suggèrent la passion amoureuse !). Pour un homme, quelques bouteilles : ce n'est pas très original, mais si le vin est bon, que vous savez qu'il est amateur, il devrait être content. Parfois, votre société s'occupe des cadeaux de Noël. S'ils ne sont pas à votre goût, ne les envoyez pas à tout votre carnet d'adresses, en tout cas pas à ce monsieur raffiné avec qui vous venez de déjeuner. Pas sûr que la calculette-météo-lampe de poche fera l'affaire pour lui. Préférez lui envoyer une carte de vœux et oubliez la calculette !

DIALOGUER

« Ne faites pas que parler. Écoutez vos clients.
C'est la meilleure façon de les fidéliser.
Ils voudront toujours que vous vous intéressiez
plus à eux qu'eux à vous - même.
C'est pour ça qu'ils vous ont choisi. »
Lillian D. Bjorseth,
consultante en communication d'entreprise

Dans votre vie professionnelle, vous ne savez pas toujours à qui vous avez affaire. La communication est parfois hasardeuse. Il faut faire attention à ce que vous dites et, le plus souvent, ne rien laisser paraître de vos sentiments. Pour vous montrer sous votre meilleur jour, restez neutre.

Imaginons un premier rendez-vous. Vous devez rencontrer M. Dupond que vous ne connaissez que par quelques communications téléphoniques. Le moment est important, car c'est maintenant qu'il va se faire une idée de vous et de vos capacités. Le dialogue qui va s'instaurer doit être équitable. Donc, toujours souriant, vous devrez laisser parler votre interlocuteur, même si vous êtes en désaccord avec lui, et surtout ne jamais l'interrompre. Chacun doit exposer ses idées : c'est la base même du dialogue. Laissez-le donc développer son analyse avant de le contrer et soyez attentif à tout ce qu'il dit. Inutile de froncer les sourcils si vous n'êtes pas de son avis. Au contraire, encouragez-le à continuer et ce n'est que lorsque vous aurez la sensation qu'il a terminé que vous répondrez. Ne soyez pas trop long : vos diatribes qui n'en finissent plus vous plaisent peut-être mais elles peuvent aussi vite fatiguer M. Dupond. Il a compris que vous étiez champion dans votre domaine, ce n'est pas la peine d'en rajouter. Passez pour un vaniteux et l'on ne vous écoutera plus. Ne posez pas de questions sans attendre la réponse, c'est insupportable et vexant pour celui qui vous fait face. Au contraire, soyez le plus curieux possible et, même si vous vous doutez de ce qu'il va vous dire, faites mine d'être étonné : quelques « Ah bon ? », « Ce n'est pas possible » sont les bienvenus et confirment que le rendez-vous est fructueux (même s'il ne l'est pas autant que vous l'espériez). Vous n'êtes pas d'accord avec lui ? Vous pouvez le lui faire savoir tout en lui précisant que vous prenez ses arguments en compte et que vous allez y réfléchir. Ne lui assénez pas directement qu'il a tort, même si vous êtes tout à fait sûr de ce que vous avancez. Non seulement il pourrait mal le prendre, mais le dialogue ne serait pas fécond. Quand vous n'avez pas compris quelque chose, faites-le-lui répéter tout de suite, n'attendez pas, ne craignez pas d'être ridicule. S'il décide de développer une idée dont vous n'avez pas les tenants, le pauvre M. Dupont parlera vite dans le vide. De votre côté, insistez sur ce qui vous paraît essentiel et vérifiez qu'il vous a bien suivi. C'était quand même le but de cet entretien.

L'ESPRIT D'ÉQUIPE

Les stagiaires

L'assistante

Le respect

Oser être honnête
quand quelque chose ne va pas

Savoir complimenter

Défendre un collaborateur
quand il est injustement attaqué

LES STAGIAIRES

« Un stagiaire montera en grade
à condition de ne pas brûler les étapes.
Plus les responsabilités sont importantes,
plus il devra montrer patte blanche
avant de prendre des initiatives. »
Priscilla Franken, Keljob.com

Un stagiaire peut être très utile... ou très importun. Dans un cas comme dans l'autre, il est là pour apprendre, on ne le rappellera jamais assez. Essayez de lui trouver des activités intéressantes et vous serez étonné : il pourrait bien vous manquer quand il s'en ira. Quant à vous, jeunes gens pleins d'espoir, votre stage est un moment important où votre bonne volonté doit être appréciée par tous.

À l'arrivée de votre nouveau stagiaire, c'est à vous de le présenter à tout le service. Donnez son prénom, la durée de son stage, les études qu'il entreprend, bref, il faut qu'on sache immédiatement qui il est. Ce sera plus simple pour lui et pour les autres. Conviez-le dans votre bureau et demandez-lui ce qui l'intéresse. N'hésitez pas à le prévenir, surtout s'il fait une grande école et qu'il se voit déjà en haut de l'affiche, qu'il devra exécuter des tâches ingrates comme mettre un fichier à jour, classer des papiers, porter des paquets, etc. Si, effectivement, vous lui demandez d'accomplir des choses rébarbatives, il est hors de question qu'il ne fasse que cela. Il peut, par exemple, assister aux réunions ou vous aider dans des recherches. N'oubliez pas qu'un ou une jeune stagiaire peut, un jour, devenir une sommité dans son domaine ! J'en parle en connaissance de cause : l'un d'eux, avec qui j'entretenais d'excellentes relations, m'est reconnaissant. Il dirige à présent la rubrique d'un journal et me donne souvent du travail ! De temps en temps, interrogez-le : est-il satisfait ? Apprend-il quelque chose ? C'est le but de cette période dans l'entreprise. Attention tout de même, il n'est pas un membre à part entière de votre société et vous ne devez pas le considérer comme tel : ne lui demandez jamais conseil, ce serait mal venu. Et parlez-lui avec courtoisie. J'ai déjà vu des énergumènes persuadés de rendre un service insigne en prenant quelqu'un en stage et d'avoir sur lui, en conséquence, tous les droits ! Même Bill Clinton s'en mord les doigts ! Non, le stagiaire n'est pas là pour aller vous chercher votre café ou mettre de l'argent dans l'horodateur. C'est à vous de montrer à cet étudiant ce qu'est la vie de bureau : les moments difficiles où l'on est en retard, où l'on s'affole, mais aussi les moments passionnants et gais. Proposez-lui, par exemple, de vous accompagner s'il y a une petite fête dans la société. Invitez-le une fois à déjeuner pour discuter de son avenir. Son regard sur votre société pourrait, en outre, vous être utile.

Si vous êtes étudiant et démarrez un stage, habillez-vous correctement, au moins le premier jour. Vous verrez par la suite s'il y a lieu ou pas de mettre une veste ou sa robe du dimanche. Soyez souriant et acceptez tous les travaux que l'on vous donnera, pourvu qu'ils restent professionnels. Sans rechigner. Si on vous trouve compétent, mais aussi aimable et serviable, on vous confiera des tâches plus intéressantes. Ne vous mêlez pas de ce qui ne vous regarde pas ! C'est essentiel. Vous êtes là pour peu de temps et si M. Martin raconte que Mme Dupont est tout à fait nulle, ce ne sont pas vos affaires. Surtout n'acquiescez pas ! Et n'allez pas rapporter l'épisode à un tiers ! Sachez faire preuve d'initiative sans pour autant en faire trop, vous risqueriez d'agacer et de commettre de regrettables maladresses. Si vous n'avez rien à faire, n'attendez pas que ça se passe, proposez votre aide. Si c'est une période plutôt calme, demandez l'autorisation de consulter des documents sur l'entreprise, histoire de mieux la connaître, et de mener à bien votre rapport de stage. C'est aussi une manière habile de montrer votre soif de connaissance. Ces quelques mois en entreprise doivent, quoi qu'il en soit, vous permettre de savoir si, oui ou non, vous aimeriez travailler dans ce domaine. Alors observez bien ce qui se passe autour de vous. Cela pourrait vous être salutaire dans le futur.

L'ASSISTANTE

« Sachez que votre attitude envers l'assistante
de votre interlocuteur peut être utilisée comme
un test à votre insu. Déclinez donc votre identité
et l'objet de votre visite avec le sourire. »
Tamiko Zablith, fondatrice de l'école de bonnes manières
Minding Manners

───────────

On l'appelait la « secrétaire », un terme très explicite
puisque l'une de ses grandes qualités est le secret professionnel.
Aujourd'hui, on préfère parler d'assistante. Mais rien n'a changé.
Une bonne collaboratrice doit être un véritable soutien pour son
employeur et également une personne de toute confiance.

Si vous êtes assistante depuis longtemps, vous savez parfaitement
que vous êtes la « vitrine » de votre patron. C'est vous que l'on aura
d'abord au téléphone. Et c'est pour cela que vous serez toujours
aimable. Car, au bout du fil, vous ne savez pas immédiatement à qui
vous avez affaire. Aussi, décrocher en disant « oui » d'un air irrité
serait mal venu. Vous seriez dépitée quand vous vous rendez
compte un peu tard qu'il s'agit du big boss. Être aimable au téléphone est de toute façon une des règles de savoir-vivre à garder
bien en tête. De même, si l'on entre dans votre bureau sans prévenir,
de façon franchement inopportune, restez courtoise et faites savoir

avec psychologie, c'est-à-dire avec moult sourires, à votre visiteur qu'il n'est pas le bienvenu pour le moment. D'accord, ce n'est pas toujours drôle, mais cela fait partie de votre travail : faciliter la vie de votre patron. Anticiper ses désirs, organiser son agenda, l'excuser lorsqu'il est en retard, savoir où il est et quand il revient. Votre bureau doit toujours être impeccable : vous oubliez les photos des enfants épinglées un peu partout, vous ne laissez traîner ni l'agenda, ni les dossiers plus ou moins confidentiels sur une chaise, et quand vous discutez au téléphone avec votre meilleure amie,  vous raccrochez dès qu'un visiteur se présente. Bref, une assistante est avant tout une personne organisée pour deux. La relation qui s'installe au bout de quelques années entre l'employée et l'employeur sera faite de confiance, mais aussi d'estime réciproque.

Cela ne veut certainement pas dire que vous, patron, pouvez utiliser votre subordonnée pour tout et n'importe quoi. Si vous avez des responsabilités importantes, mais aussi des problèmes de couple, des enfants difficiles, une mère envahissante, une résidence secondaire, c'est à vous de vous en occuper, ce n'est pas à votre assistante de se dépêtrer avec vos affaires. La fidèle collaboratrice pourra, éventuellement, vous donner un coup de main, même si ce n'est pas son travail ; mais vous devez alors en parler ensemble. La frontière entre vie professionnelle et vie privée est souvent ténue lorsqu'on passe beaucoup de temps au bureau. Respectez les horaires de votre secrétaire, évitez le coup de fil sur son portable le soir hors cas exceptionnel. N'en profitez pas pour lui faire faire le sale boulot. Si vous avez envie d'un café, demandez-lui aimablement si elle a le temps d'aller vous le chercher et remerciez-la. Et puis, si vous avez besoin de ses services, téléphonez-lui au lieu de hurler son prénom à tue-tête sous prétexte que son bureau est mitoyen au vôtre. C'est stressant pour tout le monde. N'hésitez pas, de temps en temps, à prendre de ses nouvelles et, si elle vous a sauvé d'une situation pénible, félicitez-la. Ce n'est pas très français de complimenter, mais c'est peut-être le moment d'innover ! Un bon patron devrait connaître la date de naissance de sa collaboratrice et lui offrir des fleurs le jour J. Vous trouvez cela excessif ? C'est sans doute que vous n'avez pas trouvé la perle rare !

LE RESPECT

« Prenez un patron qui n'a aucun respect
pour ses employés, je suis certain qu'il n'aura
que des problèmes avec eux et que son entreprise
ira de plus en plus mal. C'est tout en haut
de l'échelle qu'on doit montrer l'exemple. »
Dan McLeod,
président de Positive Management
Leadership Programs

———————————

Le respect est la base du savoir-vivre, vous l'avez compris. Dans l'entreprise comme dans la vie quotidienne. Contrairement à ce que l'on pourrait croire, être respectueux, c'est aussi se faire respecter. Et dans ce monde du travail rude et difficile, il est essentiel de se comporter élégamment.

Si vous avez un poste à responsabilités, que vous dirigez une équipe importante, il y a de fortes chances pour que tous les regards soient rivés sur vous. C'est pourquoi vous devez être irréprochable. Tous vos actes, vos paroles, vos attitudes seront scrutés à la loupe, et c'est normal. Tout commence le matin, lorsque vous arrivez et saluez tout le monde (du moins tous ceux que vous croisez dans les couloirs) avec amabilité, même si vous venez d'apprendre une nouvelle catastrophique. Et quand je dis tout le monde, c'est tout le

monde. Pas la peine de vous faire un dessin. Ces sombres individus qui se considèrent au-dessus de la masse, qui croient sans doute que l'intérêt de dire bonjour à la femme de ménage est limité et qui ne la regardent même pas sont méprisables. Heureusement, vous n'êtes pas fait de ce bois-là, et il va sans dire que vous êtes gracieux avec elle comme avec votre patron. Pendant la journée, vos bonnes dispositions ne doivent pas s'essouffler. Votre assistante mérite votre confiance ? Dites-lui de temps en temps que vous êtes content d'elle. Ne refusez pas systématiquement de prendre au téléphone l'employé d'un service voisin que vous avez rencontré quelque temps auparavant et à qui vous avez donné votre numéro de poste uniquement parce que vous étiez de bonne humeur. Même si vous êtes débordé, rappelez ceux qui vous ont laissé des messages. Il se peut que ce soit utile et que vous passiez à côté d'une affaire importante. Répondez aussi à ces clients à qui vous avez une mauvaise nouvelle à annoncer. S'il y a eu un gros problème et que vous êtes responsable du dossier, c'est à vous d'en parler et de donner des explications, sûrement pas à votre assistante qui n'y est pour rien. Vous passerez peut-être un mauvais quart d'heure, mais aurez au moins la satisfaction d'avoir assumé vos erreurs. Soyez accessible à vos collaborateurs, écoutez ce qu'ils ont à vous dire, ne leur coupez pas la parole sans cesse sous prétexte que vous avez plus d'expérience et ne pensez pas une seconde qu'il n'y a que votre avis qui compte.

Vos subordonnés auront de vous une image de vrai « chef », en qui l'on peut avoir confiance (attention quand même à ne pas être paternaliste), et le respect qu'ils vous porteront pourra vous être utile en période de crise.

OSER ÊTRE HONNÊTE
QUAND QUELQUE CHOSE NE VA PAS

« Il ne faut jamais se sentir mal lorsqu'on reproche à un collègue son manque d'efficacité. Après tout, business is business. »
Michelle Kinger, femme d'affaires

Malheureusement, tous vos subordonnés ne sont pas exactement ce que vous rêveriez qu'ils soient. En retard, désordonnés, négligents, il y a toutes sortes de raisons pour que vous soyez agacé. Avant que votre énervement dégénère en conflit, prenez vite les choses en main.

Il n'est pas facile d'avouer à un collaborateur que son travail ne vous satisfait pas : vous tournez autour du pot, vous faites des allusions pas toujours comprises. Plus vous attendez, plus vous aggravez la situation. Vous êtes son patron, c'est à vous de tenter quelque chose car le fautif ne se corrigera pas seul comme par enchantement. Proposez-lui un rendez-vous. Ce ne sera pas obligatoirement dans un cadre formel. Si vous préférez une ambiance détendue, invitez-le à prendre un verre à l'extérieur de la société. Ne l'attaquez pas de front en lui énumérant ce qui ne va pas. Dites-lui plutôt ce que vous espérez de lui. Et écoutez ce qu'il a à vous dire. Parfois, le collaborateur trouvera lui-même la solution à ses problèmes et il sera plus facile pour lui de se corriger. Encouragez-le et répétez-lui que vous le soutiendrez. D'autres fois, il tombera des nues et sera sidéré par ce que vous lui apprendrez. N'oubliez pas que ce sera une mauvaise surprise pour lui. N'en profitez pas pour lui asséner la liste de tous ses travers, mais donnez-lui avec calme les raisons de votre mécontentement. Il se peut qu'il le prenne bien, que cette conversation soit un électrochoc. Et qu'il vous remercie même de votre bienveillance ! S'il acquiesce à tout ce que vous lui affirmez, vérifiez tout de même qu'il comprend ce que vous lui reprochez. À partir de là, vous pourrez commencer à réfléchir ensemble à des solutions.

Malheureusement, vous n'obtiendrez pas forcément ce genre de réaction. Non, votre collaborateur peut aussi se braquer et ne plus vouloir écouter vos arguments. Il ne servira alors plus à rien de lui donner des conseils. Arrêtez tout et demandez-lui les yeux dans les yeux ce qui lui pose un problème. Encore une fois, parlez sans agressivité, à moins que vous ne teniez à transformer cet entretien en carnage ! Si vous aussi vous vous mettez en colère, si vous le menacez, tous vos efforts seront réduits à néant. Vous garderez d'autant mieux votre flegme si vous avez préalablement préparé cette entrevue et avez précisément en tête tout ce qui vous embarrasse. Votre sérénité pourrait bien l'amener à se confier et à régler l'affaire plus facilement. Votre interlocuteur réfute tout ce que vous dites point par point ? Ne le laissez pas vociférer. Il risquerait de vous emmener là où vous n'aviez pas l'intention d'aller : les petits problèmes avec les collègues ou dans la vie personnelle. Ce serait d'abord la faute des autres. Vous n'êtes pas là pour ça. Prenez d'office la parole et lancez-vous avec fermeté. Soyez précis, donnez des exemples concrets, des anecdotes qu'il ne pourra réfuter. Concluez en insistant sur le fait que, si vous avez été sincère, c'est pour lui rendre service, et faites-lui comprendre que l'entreprise ne sera peut-être pas aussi patiente que vous l'avez été jusqu'ici. Un risque de licenciement, même s'il n'est pas formulé, devrait le motiver.

Si rien ne change, il vous faudra monter d'un ton. Parfois même devant ses collaborateurs. Ceux-ci verront que vous avez conscience des défaillances de ce salarié dans votre service, alors qu'ils n'avaient peut-être pas osé vous parler des problèmes qu'ils rencontraient avec lui. En dernier recours, discutez-en avec un confrère qui a connu les mêmes difficultés. Ou prenez conseil auprès de la direction des ressources humaines. En espérant que vous n'aurez pas à aller jusque-là.

SAVOIR COMPLIMENTER

*« Demandez à vos collaborateurs comment
ils vont ; remarquez les éventuels changements
dans leur apparence ; commentez la qualité
de leur travail. Être apprécié et apprécier
les autres rend tout simplement la vie
de bureau plus facile. »*
Mark Sichel, psychiatre

Avouons-le, complimenter n'est pas inscrit dans les gênes des Français ! Les Américains, eux, n'hésitent pas à féliciter leurs collaborateurs quand ils ont fait du bon boulot. Si vous oubliez la plupart du temps de le faire, moins par indifférence que par pudeur, vous passez peut-être à côté de plus d'efficacité dans votre service. Lancez-vous : non seulement cela ne coûte pas cher, mais cela peut aussi améliorer l'ambiance de votre entreprise.

N'oubliez jamais que complimenter sans cesse votre entourage équivaut à ne complimenter personne. Si vous passez votre temps à féliciter Mme Martin pour sa nouvelle coupe de cheveux et M. Durand pour la couleur de ses chaussettes, personne ne vous prendra au sérieux. Un compliment doit toujours être sincère.

Et pour une raison valable. Oubliez les flatteries qui ne vous mèneront à rien si ce n'est à paraître ridicule, voire hypocrite. Si vous êtes patron, vos subordonnés ont juste envie qu'une fois de temps en temps, quand ils ont accompli un effort visible, lorsqu'ils ont bouclé un dossier avec professionnalisme, vous leur disiez que vous êtes content d'eux. N'ayez pas peur de leur exprimer votre gratitude même si, culturellement, vous êtes plus habitué à leur reprocher leurs erreurs qu'à les louer pour leurs progrès ! Vous ne serez pas rabaissé parce que vous avez félicité un collaborateur, comme vous le pensez peut-être naïvement. Et ce n'est pas parce que vous complimenterez M. Dupond qu'il vous demandera immédiatement une promotion ou, pis, une augmentation ! Non, M. Dupond a seulement besoin d'un peu de reconnaissance. Et cette reconnaissance ne le rendra que plus audacieux. S'il se sent indispensable au bon fonctionnement de la société, il obtiendra les meilleurs résultats, et vous aussi par la même occasion. Il est bien fini, le temps du manager hautain et inaccessible. Celui qui trouve normal que l'on se donne du mal. Se montrer à l'écoute de ses collaborateurs implique non seulement le « bravo » à l'intention de celui qui a bien fait son travail mais aussi l'explication de la satisfaction : « Votre boulot était impeccable ; j'ai particulièrement apprécié votre exposé sur... » Il faut que votre collaborateur comprenne toute l'attention que vous avez portée à sa tâche. N'attendez donc pas trop longtemps avant de vanter ses mérites : il aura l'impression désagréable que vous l'avez complètement oublié et que quelqu'un d'autre vous a rafraîchi la mémoire. Vos efforts seront réduits à néant. Si c'est seulement lors de la fête de fin d'année que vous vous décidez à lancer à Mme Martin : « À propos, votre conférence du mois de mai était formidable », ne soyez pas surpris qu'elle n'en soit pas émue. Et vous, vous pourriez attendre longtemps avant qu'à son tour elle vous dise tout le bien qu'elle pense de vous !

DÉFENDRE UN COLLABORATEUR
QUAND IL EST INJUSTEMENT ATTAQUÉ

*« Ne tentez jamais
de défendre l'indéfendable,
vous passeriez aux yeux de tous pour un idiot. »
David Foster Robinson,
auteur de « Business etiquette »*

Vous ne supportez plus que l'on critique sans cesse l'un de vos collaborateurs ? Il est injustement attaqué ? Deux solutions s'offrent à vous. Faire comme si de rien n'était ou prendre sa défense. Dans ce cas-là, il vous faudra du courage et du tempérament.

Fermer les yeux devant l'injustice est, au bureau, la solution la plus confortable. Chacun pour soi, le collaborateur malmené par son équipe devra se débrouiller seul. Si cette devise vous paraît contraire à vos principes, vous devez agir. D'abord en essayant de comprendre ce qui s'est réellement passé entre votre collègue et ceux qui le vilipendent. A-t-il vraiment fait le maximum pour mener à bien un dossier ou a-t-il traité l'affaire par-dessus la jambe ? Ce que vous prenez pour de l'acharnement n'est-il pas simplement la

conséquence d'un travail mal fait ? Vérifiez bien que vous ne vous embarquez pas dans une affaire où vous serez vaincu d'avance car l'attitude de vos collaborateurs est en fait justifiée. Ce salarié a peut-être fauté et mérite donc une sanction.

Si ce n'est pas le cas, que cet acharnement contre lui n'est que pure malveillance, que vous le considérez comme un bouc émissaire, vous pouvez prendre sa défense, même si cela comporte des risques. N'oubliez pas que ce genre d'épisode malheureux peut aussi vous arriver un jour et que vous seriez heureux d'être soutenu dans l'adversité. Demandez à votre confrère s'il accepte que vous agissiez pour lui. S'il est d'accord, prenez directement rendez-vous avec votre supérieur hiérarchique. Préparez avec minutie votre entretien car vous devez répondre à toutes les questions qu'on ne manquera pas de vous poser. Expliquez à votre patron que vous venez le voir de votre propre chef et que personne ne vous a influencé. Ne remettez pas la faute sur un individu précis, ce serait inélégant et vous n'êtes pas un mouchard. Il est toujours plus facile de parler des autres que de soi-même : soyez un bon avocat et ayez de bons arguments. Votre supérieur n'est peut-être pas au courant de la situation. Dans ce cas, exposez les problèmes dans le détail. Le rôle d'un responsable est aussi de veiller à ce qu'une certaine harmonie règne au sein de son équipe. C'est pourquoi il doit vous écouter et se poser en arbitre. Si vous l'avez convaincu, il devra comprendre les motivations de ceux qui harcèlent votre collègue et régler lui-même la crise.

Vous aurez la fierté d'avoir aidé quelqu'un à se sortir d'une mauvaise passe. Mais attention aux représailles. Il se pourrait bien que vous soyez la prochaine victime de votre équipe. Espérons que celui pour qui vous vous êtes donné tant de mal n'aura pas la mémoire courte.

S'ORGANISER

Organiser une réunion

Faire passer les informations

Organiser son planning

ORGANISER UNE RÉUNION

« L'abus de réunions ou le laisser-aller de leur organisation aboutit à l'effet contraire de celui que chacun est en droit d'attendre en échange de son temps et de son attention. »
Olivier Protard et Pierre-Alain Szigeti,
auteurs du « Guide du savoir-vivre en affaires »

À l'idée même d'assister à une réunion, certains lèvent déjà les yeux au ciel. S'ils en sont dégoûtés, c'est qu'ils ont l'impression d'y perdre leur temps. Quelques petits détails pourraient pourtant les motiver.

C'est à votre tour d'organiser une réunion. Ne perdez pas de vue la raison pour laquelle vous avez décidé de rassembler vos confrères. Trop de rendez-vous de ce genre ne servent finalement pas à grand-chose et, si c'est le cas, on ne tardera pas à vous le faire sentir. Une réunion doit toujours avoir un but bien défini et concerner tous ceux que vous y avez conviés. Ne sollicitez que les personnes indispensables, si vous êtes trop nombreux, cela n'en finira plus. Pour cela, envoyez-leur un mail précisant l'ordre du jour. Prévoyez même combien de temps durera cette rencontre et tentez de vous y tenir. En général, deux heures est un grand maximum. Au-delà, tous commenceront à vous haïr. Proposez deux ou trois dates afin que cela convienne à tout le monde. Rappelez-vous que l'être humain est toujours plus frais et dispos le matin à 10 heures que le soir à 19. La veille du grand jour, rappelez les participants : ils ne pourront pas dire qu'ils ont oublié !

Quant à vous, soyez ponctuel, c'est la moindre des choses. Un retard de plus de dix minutes et votre réputation est faite : vous n'avez aucun respect pour les autres. C'est un mauvais départ.

Le jour J, immédiatement, annoncez la couleur : vous devez rappeler l'ordre du jour. Votre rôle, en tant qu'animateur, est de ne pas vous laisser envahir par les difficultés des uns et des autres. Certains confrères pourraient profiter de la situation pour parler de leur cas personnel, et ce n'est pas le but. Si vous sentez que Mme Martin va

vous questionner sur ses problèmes d'horaire, interrompez-la très vite en l'assurant que vous en discuterez plus tard en tête-à-tête. Lorsque M. Dupond montre des signes d'impatience, tapote des doigts sur la table, regarde ses mails sur son Blackberry, c'est sans doute que vous n'avez pas su l'intégrer. Posez-lui alors directement une question, demandez-lui son avis sur telle ou telle affaire. Quant à M. Durand, l'éternel agressif, qui à la moindre occasion va pester contre cette entreprise qui part à vau-l'eau, où l'on n'est au courant de rien et où, bien entendu, on est payé au lance-pierres, ne le laissez pas vous intimider. Permettez-lui de s'énerver tout seul jusqu'à ce qu'il prenne conscience du ridicule de la situation et se calme. Répondez-lui tranquillement que le sujet du jour n'est pas la hausse des salaires et désamorcez au plus vite le conflit. S'il cherchait la bagarre, il en sera pour ses frais.

Quoi qu'il en soit, parce que c'est poli et parce qu'il faut être entendu, parlez suffisamment fort et articulez. Restez debout si vous pensez que cela peut vous aider à prendre un peu de hauteur. Plaisantez quand il le faut, c'est-à-dire quand vous sentez que l'ambiance devient pesante, histoire de détendre les plus réfractaires.

À la fin, n'oubliez jamais de remercier les participants de leur présence. Envoyez à tous dès le lendemain un compte rendu précis mais pas trop exhaustif par mail. Et, surtout, attendez quelques jours avant de proposer une nouvelle réunion

FAIRE PASSER LES INFORMATIONS

« Dans une enquête récente auprès des cadres
de 248 grandes entreprises britanniques,
près de la moitié des personnes interrogées -
sur un effectif total de près de 1,3 million
de salariés - ont estimé que le personnel
était trop peu informé par la direction. »
« Financial Times »

Faire passer des informations est un casse-tête. Savoir quand et qui avertir est parfois si laborieux que vous pensez avoir trouvé la formule : vous envoyez tout à tout le monde ou rien à personne. Ce sont évidemment des méthodes désastreuses et, dans un cas comme dans l'autre, vous passez pour un malotru.

« Je ne suis jamais au courant de rien » est une phrase que vous avez déjà entendue de la bouche d'un collaborateur. En fait, il vous accuse plus ou moins de se sentir exclu et, par là même, démotivé. Vous n'avez peut-être pas conscience qu'en agissant ainsi vous négligez le bon déroulement de votre service. Vous avez de bonnes

excuses pour agir ainsi : l'impression de perdre votre temps à rédiger des mails d'explication ou à passer des coups de fil ; votre instinct qui vous dit de ne pas répéter certaines choses, même à vos subordonnés les plus proches ; le goût du secret qui flotte insidieusement dans de nombreuses sociétés ; l'impression d'être indispensable en étant l'un des rares à être dans la confidence. Sachez que cette attitude ne mène à rien sinon à perdre la confiance d'une équipe qui était, a priori, pleine de bonne volonté. Ce qui est certain, c'est que l'on vous jugera mal et que cette incompréhension pourrait persister si vous ne faites pas d'effort. On ne vous demande d'ailleurs rien d'autre que de rendre compte d'une réunion à laquelle vous avez participé, de la conclusion d'un supérieur sur un dossier ou d'annoncer la promotion de M. Martin. Histoire qu'on ne l'apprenne pas dans les couloirs ou devant la machine à café. Bref : de travailler en équipe.

En revanche, n'inondez pas vos collaborateurs d'informations. Ne soyez pas celui qui les bombarde de mails. Vous risqueriez de tétaniser votre équipe qui ne saura plus distinguer les données importantes et celles qui ne le sont pas. Qui se demandera si, oui ou non, il faut se rendre à la réunion du 15 mai. Vous ferez perdre du temps à tout le monde puisque, à un moment ou à un autre, votre assistant finira par vous appeler et vous devrez lui expliquer ce qu'il en est, alors qu'il n'est pas concerné. Ne soyez pas comme ceux qui se couvrent en diffusant une information au plus grand nombre. Sachez cibler vos correspondants. Et réfléchir deux minutes à qui vous envoyez quoi. Ces deux minutes vous en feront gagner vingt, c'est la bonne nouvelle.

ORGANISER SON PLANNING

*« De très petits investissements
pour organiser son temps peuvent engendrer
d'importantes économies. »
Denise Landers,
fondatrice de Key Organization Systems Inc.*

Vous avez peut-être l'impression de ne pas avoir assez de temps. Que vous ne bouclerez jamais à l'heure dite le dossier Dupond. Avez-vous réellement trop de travail ou ne savez-vous pas vous organiser ? Il suffit pourtant de deux, trois petites astuces pour être efficace et productif.

D'abord et avant tout, l'agenda. Il doit être impeccable, lisible et clair. Ainsi, en arrivant au bureau, vous saurez en une seconde ce que vous avez à faire. Vous avez un déjeuner ? Calculez le temps qu'il vous faudra pour vous y rendre, le temps approximatif du déjeuner en lui-même et le temps pour revenir au bureau. Si vous considérez que cela vous prendra deux heures et demie, prenez en compte cette absence. Vous avez donc, pour aujourd'hui en tout cas, un planning serré. Sachez hiérarchiser les priorités. Vous pouvez les noter noir sur blanc par ordre d'importance. Telle ou telle chose peut certainement être confiée à d'autres. Ne vous trompez pas de personne : celui ou celle à qui vous demandez de vous aider doit être compétent en la matière. Si vous devez repasser derrière votre assistant, ce sera complètement inefficace ! Si vous pouvez compter sur lui, ce n'est certes pas une raison pour lui donner plus de responsabilités qu'il ne doit en avoir. Ne le submergez pas de mails, de coups de fil, ne lui communiquez pas votre propre stress et répondez calmement à ses questions.

Profitez de votre grande forme du matin pour accomplir les tâches les plus compliquées et attendez vos « coups de mou » pour faire le plus facile. Rien de plus épuisant que de se lancer dans une activité complexe si vous sortez de table et qu'exceptionnellement

vous n'avez pas résisté à l'envie de boire une petite prune ! Profitez plutôt de ces moments pour classer vos papiers, ranger votre bureau : ce ne sera pas du temps perdu puisque cela vous servira à y voir plus clair. Et ne faites pas le contraire ; il est tentant de commencer sa journée en douceur par ce qu'il y a de plus simple : c'est une grossière erreur !

Ménagez-vous des petites récréations, oui, comme à l'école. C'est indispensable pour bien travailler. Dès que vous sentez une baisse de concentration, levez-vous, allez boire un café. Il ne faut pas que cela dure des heures, bien sûr. Cinq minutes devraient suffire pour repartir du bon pied. Évitez de passer des appels personnels pendant ces moments de détente : d'abord parce que votre vie privée est peut-être compliquée et que cela ne vous relaxera pas ! Ensuite parce que le mieux est de bouger pour mieux déconnecter.

Ne vous laissez pas envahir par ces confrères qui viennent discuter de choses et d'autres parce qu'ils ont, eux, un quart d'heure à perdre. Faites-leur comprendre que ce n'est pas le moment. Il suffit de leur dire : « Est-ce que je pourrais venir te voir plus tard, il faut à tout prix que je finisse quelque chose. » On n'a jamais vu quelqu'un se vexer avec une telle réponse, ne vous inquiétez pas !

Savoir organiser son planning permet de s'aménager des instants pour soi. Pour faire autre chose que régler tel ou tel problème. Le salarié d'une grande entreprise peut être archiproductif et jouer au tennis deux fois par semaine. Ça vaut le coup d'y réfléchir, non ?

ÊTRE LICENCIÉ

Ne pas critiquer l'entreprise

Pot de départ

Comment réagir quand c'est l'autre
qui est licencié

NE PAS CRITIQUER L'ENTREPRISE

*« Ne laissez pas vos émotions
passer avant votre bon sens.
Soyez professionnel jusqu'au bout. »*
Ann Marie Sabath,
auteur de « Business Etiquette in Brief »

Vous êtes licencié ? Avant de dire à votre patron qu'il n'est qu'un incompétent et à vos collaborateurs leurs quatre vérités, réfléchissez. On ne vous demande pas de tendre l'autre joue, simplement d'être magnanime même si cela vous semble au-dessus de vos forces.

Être renvoyé de sa société est toujours douloureux, angoissant et perçu comme une injustice. En temps normal, vous êtes au courant depuis des mois que vous ne finirez pas votre carrière chez Dupond et fils. Vous devez vous plier à cette décision puisque aucun revirement n'est possible. D'abord le préavis : il est hors de question de profiter de cette drôle de période pour ne rien faire. Vous ne passerez pas vos journées à téléphoner à vos amis, à prendre quatre heures pour déjeuner ou à vendre vos vieux meubles sur e-bay. Non,

bien au contraire, il faut toujours laisser de soi la meilleure image possible. Jusqu'au bout, soyez irréprochable. On ne vous dit pas d'en faire trop, ce serait absurde, mais respectez le minimum syndical. Tâchez d'être aimable, ce sera d'autant plus énervant pour celui qui vous a coupé la tête. S'il a dit à tous, ou plus vraisemblablement suggéré de façon indirecte, que vous vous comportiez mal, que votre caractère était insupportable, il sera déstabilisé, ce qui n'est pas pour vous déplaire, avouez-le. Vous croiserez des confrères dont vous stigmatiserez les craintes. N'entrez pas dans leur jeu. Ne répétez pas sans cesse tout le mal que vous pensez de Dupond et fils et ne les persuadez pas de se méfier, eux aussi. Vous passeriez pour un aigri, en plus d'un désespéré. Même si c'est difficile, répondez plutôt que c'est la vie, que c'est peut-être une chance pour vous de tourner une page et que vous êtes certain de rebondir. Renvoyez une image positive, il vaut toujours mieux avoir l'air d'un battant. Vos inquiétudes pour l'avenir, ne les confiez qu'aux collaborateurs dont vous êtes sûrs, ceux qui ne vous trahiront pas.

Avec vos contacts professionnels extérieurs, soyez sur vos gardes. C'est peut-être grâce à eux que vous trouverez un nouveau job. Ne pleurnichez pas, ne racontez pas votre projet d'entamer un procès à votre employeur, ne critiquez pas les moindres faits et gestes de vos supérieurs, ne vous vantez pas d'avoir volé les fichiers de clients. Ils en concluraient que vous n'êtes pas la plus fiable ni la plus saine des recrues. S'ils doivent un jour vous engager et que vous vous comportez de la même façon, ils pourraient eux aussi vous licencier ! Ils vous poseront forcément des questions sur la situation : le plus simple (et le plus bateau !) est encore de répondre que vous n'étiez pas en accord avec la politique de la maison et que vous ne vous y sentiez plus à l'aise. Que, par là même, vous ne vous entendiez plus avec votre manager. Faites entendre que vous vous séparez d'un commun accord. On ne vous croira peut-être pas, mais, avec un peu de chance, on ne vous demandera pas les détails du divorce. Méfiez-vous aussi de ceux qui n'ont rien à voir avec la société Dupond et fils. Les ragots circulent à une vitesse incontrôlable. Sans être para-noïaque, il faut vraiment être vigilant. Imaginons : vous vous laissez aller à quelques confidences sur votre licenciement auprès du coiffeur proche de votre bureau, c'est normal, depuis le temps que vous avez l'habitude de papoter avec lui. Il répète naïvement vos propos à une collaboratrice de votre entreprise à qui il coupe également les cheveux, qui, trop contente, relate mot pour mot ces informations à votre supérieur. Celui-ci pourrait alors vous demander, et on le comprend, de ne plus vous plaindre au tout venant. Avouez que vous vous sentiriez pour le moins mal à l'aise.

Sachez enfin que « les cimetières sont pleins de gens indispensables ». Ce n'est pas parce que vous n'y travaillez plus que l'entreprise va s'effondrer. Difficile à admettre, mais vrai.

POT
DE DÉPART

« N'essayez pas de couper à la tradition
des discours lénifiants même
si vous ne souhaitez pas personnellement
assister à votre éloge funèbre. »
Patrick Babayou, site « Le monde selon moi »

Organiser un pot de départ est loin d'être une obligation.
Tout dépend de votre état d'esprit au moment de vos adieux à l'entreprise. Vous êtes soulagé de quitter les lieux ? Vous avez déjà trouvé un nouveau job ? Un petit verre serait une manière délicate de remercier vos collaborateurs pour leur bienveillance lors de cette période délicate. Vous êtes au fond du gouffre ? Vous vous êtes fait licencier de manière brutale ? Oubliez la réunion entre collègues, surtout s'ils ont été infects.

Malgré de longues négociations, l'entreprise s'est bien comportée et vous verse des indemnités. Vous partez définitivement vendredi et vous vous demandez s'il faut organiser quelque chose. Avec un peu de chance, le chef de pub, avec qui vous entretenez des relations amicales, s'en est occupé. Il vous avertira de l'affaire et vous n'aurez rien à préparer. Mais c'est normalement à vous de mettre les petits plats dans les grands, d'acheter champagne et petits-fours. Et de lancer les

invitations, ce qui sera de toute façon atrocement compliqué. Mme Martin vous a toujours battu froid ? Et curieusement, depuis qu'elle connaît votre situation, est redevenue gracieuse ? Oubliez-la. Quelle importance ? Vous ne la reverrez plus jamais. Et si vous culpabilisez, souvenez-vous de tous ces matins où elle ne daignait pas vous saluer. Prévenez tous ceux qui ont été d'un grand soutien. Tous : de l'hôtesse d'accueil à votre collaborateur le plus proche. Il serait peut-être plus raisonnable de les réunir ailleurs que dans votre bureau. Si l'ambiance est à couteaux tirés, proposez-leur de prendre un verre au café du coin, surtout si vous connaissez bien le patron. C'est la meilleure solution car on ne pourra pas vous accuser de provocation. Et puis vos collègues se sentiront eux aussi plus à l'aise. Ils pourront même prononcer un discours bien senti contre votre supérieur qui s'est mal conduit envers vous. Quoi qu'il en soit, et parce que c'est vous qui avez décidé d'organiser cette petite réunion, vous réglerez la note. C'est l'autre mauvaise nouvelle du jour.

COMMENT RÉAGIR
QUAND C'EST L'AUTRE QUI EST LICENCIÉ

« N'essayez pas de soulager celui qui va être licencié en critiquant votre entreprise ou ceux qui la dirigent. »

activelearning.net

Votre collaborateur vient de se faire signifier son licenciement. Il est effondré et vous devez le réconforter. Attention ! C'est une situation si embarrassante que les gaffes peuvent se multiplier. Prenez garde à bien réagir.

Vous vous doutiez depuis des mois que M. Martin ne finirait pas l'année dans l'entreprise. Vous avez sans doute essayé de lui faire comprendre que son comportement allait finir par lasser vos supérieurs mais rien n'y a fait. Aussi, lorsqu'il arrive dans votre bureau pour vous annoncer la nouvelle, vous n'êtes pas, au fond, plus étonné que ça. N'allez pas lui dire « Tu vois, je te l'avais dit », ce qui ne fera que le déprimer encore plus. Ne lui dites pas non plus « Ce n'est pas possible, je n'y crois pas », cela dévoilerait à tous votre grande hypocrisie. Le mieux est d'abord de l'interroger sur ce qui s'est passé au cours de l'entretien et de lui demander s'il sait à quelle sauce il va être mangé. Faites-le parler, cela ne pourra lui faire que du bien. Évitez de lui poser des questions trop précises : « Tu pars quand ? », « Qu'est-ce que tu comptes faire ? » car Martin ne sait pas où il en est et vous risquez de le bouleverser davantage. S'il est énervé, calmez-le afin qu'il n'aggrave pas sa situation. Proposez-lui de déjeuner avec lui et, même si vous n'êtes pas le roi de la psychologie, trouvez des mots réconfortants. Il ne s'agit pas de lui dire que vous êtes

persuadé qu'il trouvera un job dans le mois qui suit, mais plutôt de l'encourager à se mettre très vite à sa recherche.

Le jour de son départ, si son bureau est beaucoup plus agréable que le vôtre et que vous avez négocié auprès de vos supérieurs de le récupérer, soyez discret. On a déjà vu de charmants collaborateurs apporter leurs cartons dans la pièce convoitée avant même que la victime du licenciement en soit partie : charmant !

Même si vous êtes sincèrement triste du départ de votre collègue, vous êtes au fond rassuré de ne pas être à sa place. Ne culpabilisez pas, c'est une réaction on ne peut plus normale, surtout en cette période de crise. Proposez-lui votre aide pour rebondir, d'appeler des relations qui pourraient lui être utiles. Téléphonez-lui régulièrement pour prendre de ses nouvelles et pas seulement la semaine suivant son renvoi.

ENTRE
HOMMES
ET FEMMES

Courtoisie mais pas trop

L'amour au bureau

L'amitié au bureau

COURTOISIE
MAIS PAS TROP

« L'étiquette dit que l'on doit tenir
la porte aux femmes.
Mais ce n'est pas obligatoire
sur son lieu de travail. Vous pouvez
même les offenser sans le vouloir.
Dans la vie professionnelle, les hommes
et les femmes sont égaux. »
Susan Bryant, consultante

━━━━━━━━━

C'est le premier jour de Mme Durand, votre nouvelle collaboratrice. Évidemment, c'est avec gentillesse et professionnalisme que vous allez l'accueillir dans vos bureaux. Attention quand même à ne pas en faire trop simplement parce qu'elle est une femme.

On vous a appris, messieurs, à ouvrir la porte aux femmes et à les laisser passer devant vous. On vous a appris à leur resservir du vin à table quand leur verre est vide. On vous a appris des quantités de choses sur la courtoisie et cela tombe bien : vous allez les appliquer aussi dans votre vie professionnelle. Mme Durand est une collaboratrice comme une autre, soit. Mais ce n'est pas aussi simple. Il va

falloir trouver le juste milieu entre galanterie et travail d'équipe. Mme Durand est sûrement ravie que vous la respectiez mais elle a aussi envie d'être considérée comme n'importe quel collègue. Avouez-le, combien de fois avez-vous entendu ces phrases qui tuent, semblant venir d'une autre époque : « Je lui donne un an pour partir en congé maternité » ; « Avec ce physique, elle est bien partie ! » ; « Avec ce physique, elle va avoir du mal ! » ; « On se demande bien comment elle en est arrivée là ! » ? Dans certains milieux professionnels, et si elle a atteint un poste à haute responsabilité, une femme est a priori soupçonnée de bien des maux. Messieurs, ne tombez pas dans ce piège ridicule. Vous savez bien, vous, que Mme Durand est compétente. Et que c'est pour cela qu'elle en est là. Ce n'est pas une raison non plus pour la considérer comme un vieux copain et toutes les marques de politesse vis-à-vis d'elle seront les bienvenues. On ne tape pas dans le dos de Mme Durand mais on ne lui parle pas non plus comme à la reine d'Angleterre. Lui dire parfois qu'elle est élégante est délicat. Le lui répéter tous les jours ressemble fort à du harcèlement. Il y a mille et une manières d'être galant tout en restant professionnel : il serait ridicule de lui faire le baisemain dès que vous la croisez dans les couloirs, mais se lever de votre chaise quand elle entre dans votre bureau serait une attention délicate. Encore une recommandation : vous ne sauriez pas être un parfait gentleman avec une consœur et un vrai mufle avec une secrétaire. Ce serait la preuve consternante de votre goujaterie. Élémentaire, bien entendu !

Quant à vous, mesdames, il va vous falloir un peu plus d'obstination et de courage que les hommes. Même si vous êtes moins bien payées qu'eux (environ 15 %, c'est officiel !) et que la pression est forte, il faut tenir. Si vos yeux s'embuent à chaque réflexion désagréable, si vous êtes au bord de la crise de nerfs dès qu'un problème se présente, on ne vous verra plus comme « une incroyable directrice marketing si dynamique », mais comme « cette folle hystérique qui n'est pas à la hauteur ». Oui, c'est injuste, mais c'est la réalité.

Aujourd'hui, hommes et femmes cohabitent le plus souvent dans une parfaite harmonie. Soyons réalistes, c'est presque toujours grâce à la pugnacité de ce si mal nommé « sexe faible ».

L'AMOUR AU BUREAU

« Assurez-vous que la qualité de votre travail et votre productivité ne souffrent pas de votre histoire d'amour. Si votre patron ou vos collègues pensent que vous travaillez moins depuis que vous êtes amoureux, ils seront trop contents de vous le faire remarquer. »

Site Internet Work etiquette

Les chiffres sont explicites. 47 % des salariés européens avouent avoir vécu une aventure au bureau. On ne peut donc pas passer cette situation sous silence : elle pourrait bien vous arriver et, si vous n'y prenez pas garde, virer au cauchemar.

Vous vous rencontrez en réunion, puis à la machine à café. Elle a un sourire charmant, rit des mêmes blagues que vous et surtout des vôtres, comprend à demi-mot vos allusions sur la promotion franchement abusive du directeur marketing. Bref, elle vous plaît. Vous l'invitez à prendre un verre et vous voici en moins de deux amoureux fou de la comptable du deuxième étage. Martine n'est peut-être qu'une aventure sans lendemain ou bien la mère de vos futurs enfants, qui sait ? Pour le moment, la première règle à respecter est

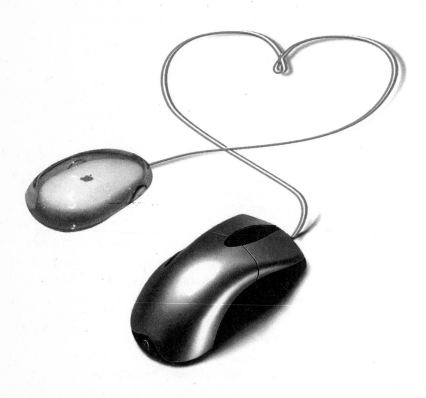

celle de la discrétion. Mettez-vous tout de suite d'accord. Personne ne devra être au courant de votre relation, c'est la meilleure façon de n'être ni jugé ni accusé de je ne sais quels maux, ni jalousé par vos collègues. Et puis, les joies de la clandestinité sont sans limites ! Si vous êtes sûr de vous, si votre liaison devient très sérieuse, à vous de voir si elle peut être ébruitée. De toute façon, il y a de grandes chances que quelques-uns découvrent le pot aux roses : vous rougissez jusqu'aux oreilles à chacune de ses apparitions ! Si Martine n'est qu'un trophée à votre tableau de chasse, ne vous vantez pas à qui veut bien l'entendre de l'avoir séduite. Ce serait la preuve que vous n'êtes qu'un type pas très fréquentable et, dans ce cas, ne vous étonnez pas que toutes les dames de l'entreprise vous mettent des bâtons dans les roues. On sous-estime toujours le pouvoir de la solidarité féminine ! Et puis, tout cela ne fait pas très sérieux et on pourrait douter de vos autres compétences.

Si personne n'est au courant de votre histoire, il peut arriver qu'on discrédite Martine devant vous. Difficile de tenir sa langue lorsqu'on traite l'objet de toutes vos pensées d'incompétente notoire. Si la situation dure trop longtemps et si vous êtes certain d'avoir trouvé la compagne idéale, préférez dire la vérité avant de la défendre bec et ongles de façon un peu outrancière et surprenante.

Dès que vous aurez donné l'information, vous aurez droit à des réactions tous azimuts. Sachez deviner lesquelles sont sincères. Si Sylvie a l'air de trouver cela « formidable », elle est peut-être atrocement envieuse et ne tardera pas à vous empoisonner l'existence. D'abord en cancanant dès que vous aurez le dos tourné, ensuite en commentant vos sautes d'humeur. Il faut à tout prix éviter les

« Alors, ça ne va pas ce matin, une dispute avec Martine ? »
Insupportable. Dites-lui rapidement et fermement de s'occuper de
ses affaires, quitte à en faire une ennemie à vie. Vos confrères seront
peut-être jaloux, non pas de Martine, mais plutôt du temps qu'elle
vous prend. Fini les verres après le boulot, fini les conversations au
restaurant d'entreprise. Même si vous êtes follement épris, tâchez
de ne pas changer complètement d'attitude vis-à-vis d'eux, la pilule
passera mieux. Avoir une relation amoureuse au bureau n'est puni
ni par la loi ni par la convention collective. Pourtant, il peut arriver
que l'on doive avertir son supérieur hiérarchique quand, par exemple, un des intéressés a un devoir de confidentialité. Avant que l'on
vous accuse d'indiscrétion, prenez les devants. Ce supérieur esti-
mera en toute connaissance de cause si votre relation met en péril le
bon fonctionnement de la société et, si c'est le cas, il pourrait proposer un changement de poste, mais de toute façon il appréciera votre
honnêteté et vous serez bien vu ! Ne tardez pas à en parler : de
bonnes âmes pourraient sinon faire en haut lieu des allusions
appuyées à votre bonne humeur soudaine.

Si Martine est votre patronne, la situation prend une
autre tournure. Malgré votre extrême prudence, tout le monde est
au courant. Seule Mme Dupont, incorrigible romantique, croit dur
comme fer à votre histoire. Les autres ne parlent qu'« avancement »,
« augmentation », « nomination ». Ne vous faites aucune illusion,
vous serez de toute manière l'horrible ambitieux prêt à tout pour
réussir. Il sera difficile de les convaincre que l'amour a été le plus fort.
Dans la vie professionnelle, les sentiments gratuits sont mal
compris ! Le mythe de la « promotion canapé » a la peau dure. Alors,

allez-y frontalement. Réunissez tous ceux avec qui vous travaillez et soyez sincère. Oui, vous aimez Martine, oui, c'est une situation délicate et oui, vous comprenez leur méfiance. Jouer la carte de la confiance est la meilleure solution pour éviter les ragots de machine à café. Mais si on ne se demande plus ce qui se passe avec Martine, on se demandera comment vous êtes parvenu à vos fins ! Pas d'autre solution que d'attendre que ça passe. Si, malgré vos liens avec Martine, vous n'êtes pas devenu chef du service, vos collègues se lasseront de cancaner sans cesse à votre sujet. L'autre problème, c'est que, même si vous êtes de loin le meilleur, toute récompense sera mal vue. Vraiment, tomber amoureux de son supérieur hiérarchique est une très mauvaise idée. Tous les témoignages concordent : les employés s'en mordent les doigts ou préfèrent quitter l'entreprise. C'est effectivement une issue raisonnable.

Qui dit histoire d'amour, au bureau ou ailleurs, dit souvent rupture. Ce n'est déjà pas facile en temps normal, mais dans la vie professionnelle, cela peut virer au cauchemar. Surtout quand vous êtes celui ou celle qui se fait quitter. Même au plus haut niveau : imaginez deux secondes l'ambiance qui devait régner au siège du Parti socialiste entre François Hollande et Ségolène Royal ou à l'Élysée entre Cécilia et Nicolas Sarkozy ! Tous les jours, vous croiserez l'objet de vos tourments ; tous les jours, vous aurez affaire à lui : désespérant ! On dit que c'est l'une des raisons de l'inquiétude du dirigeant d'une société lorsqu'il apprend que deux de ses subordonnés ont une liaison. Mais si cela doit vous arriver, vous éviterez bien entendu les scènes de ménage ou les crises de larmes devant témoins. Cela embarrasserait tout le monde et vous seriez la risée de vos collègues. Pas de pitié pour les victimes de l'amour au bureau. On n'entendra plus que des « Je lui avais bien dit », « Bien fait pour lui », « Quel hystérique », et j'en passe. Votre travail s'en ressentira, ou du moins tout le monde en sera convaincu, et cela pourrait avoir des conséquences dramatiques. Oubliez évidemment toute idée de vengeance, comme rendre l'autre jaloux, cela vous prendrait toute votre énergie et votre boss en aurait vite assez. Car il le saura, soyez-en sûr. Avec un peu de chance, il sera patient et trouvera une solution, par exemple, celle de vous changer de service, d'étage et pourquoi pas d'immeuble ! Mais vous risqueriez surtout d'être très pénalisé. Si vous êtes patron, attention à ne pas vous faire accuser de harcèlement sexuel si vous refusez une augmentation ou une pro-motion à votre ex. Cela s'est déjà vu.

Enfin, bref, quand la belle Martine passera devant vous avec ses yeux irrésistibles et son sourire ravageur, réfléchissez-y à deux fois avant de vous lancer. Il y a aussi de très jolies filles ailleurs.

L'AMITIÉ
AU BUREAU

*« S'il existait les dix commandements
du succès de l'entrepreneur, l'un d'eux
serait : Vous n'embaucherez pas votre voisin,
la femme de votre voisin, le frère
de votre femme, votre belle-sœur
ou votre meilleur ami. »*
Stephen W. Gibson, homme d'affaires

———————

Amitié sincère peut-elle rimer avec concurrence, stress, ambition ? Pour certains, elle est nécessaire, voire indispensable, pour s'épanouir dans son travail. Pour d'autres, elle n'est que source de déception, d'ennuis et de gêne. Comment réussir sa vie professionnelle entourée d'amis ?

Comme l'amour, l'amitié au travail est une situation délicate. Savoir qu'on peut compter sur l'un de ses collaborateurs parce qu'on a une confiance sans bornes en lui peut donner de la force et du courage dans les moments difficiles. Attention, pourtant, à ne pas dépasser certaines limites. Cette complicité ne doit pas vous empêcher de vous concentrer sur ce que vous avez à faire. Ce n'est pas parce que vous vous sentez « comme à la maison » dans le bureau

que vous partagez avec Sylvie qu'il faut passer votre temps à discuter de vacances, des enfants, du mari – toutes ces petites préoccupations que l'on devrait, normalement, laisser chez soi. Évitez également de passer vos journées avec elle : déjeuners, pauses café. Les autres membres de votre équipe vous le reprocheraient à juste titre. Accordez de l'attention à vos autres collègues. Décidez, par exemple, de déjeuner au moins deux fois par semaine avec tout le monde. Avant de confondre complicité entre confrères et véritable amitié, avant de vous emballer ou, à l'inverse, d'être déçu par une relation que vous pensiez solide, demandez-vous si vous passeriez toutes vos vacances avec Sylvie. Vous hésitez ? C'est qu'elle est sûrement la bonne camarade du service marketing, mais peut-être pas la marraine de vos futurs enfants. Ce n'est pas grave, bien sûr, mais cela vous encouragera à ne pas trop vous investir dans cette amitié.

Votre meilleur ami, Pierre, est chef d'entreprise. Il décide de vous embaucher. Du jour au lendemain, vos relations vont être mises à rude épreuve. Fini l'égalité entre vous. Avant d'accepter son offre, mettez les choses au point. Pierre pourra, sans avoir peur de vous faire de la peine, vous faire part de son mécontentement quand les objectifs n'auront pas été atteints. Et vous devrez l'accepter. Si vous n'en discutez pas à l'avance, le pire est à craindre. Se brouiller avec un être cher pour des raisons professionnelles est difficile à avaler. Si vous ne vous sentez pas la force d'être l'employé d'un ami, abstenez-vous. Car il faut beaucoup d'abnégation et de force intérieure pour accepter que son copain d'enfance ait perdu toute compassion quand il s'agit de la bonne marche de son entreprise. Si c'est vous le patron, il serait absurde et non professionnel de favoriser votre complice de toujours. Vous dirigez cette entreprise et devez mettre entre parenthèses vos relations personnelles.

Comme l'amour, l'amitié est aveugle. Si le confrère avec lequel vous entretenez une relation chaleureuse est tout à fait nul, vous ne vous en êtes peut-être pas rendu compte. N'allez pas le défendre corps et âme s'il a des ennuis avec votre supérieur. Cela ne servira pas à grand-chose, et on penserait à juste titre que vous attachez plus d'importance à vos sentiments qu'à votre travail. Et ce n'est bien sûr pas ce que l'on attend de vous. Rien de cynique là-dedans : juste le cloisonnement parfois invisible mais à ne jamais oublier entre le public et le privé, le professionnel et le personnel. Et puis réfléchissez : vous aimez bien rigoler avec le nouveau de l'étage au-dessus et vous défouler en commentant la dernière gaffe du chef de service ? Mais vous savez bien que vous appréciez plus encore de parler d'autre chose avec vos copains de toujours : comment pour-riez-vous alors confondre une camaraderie de bon aloi avec l'amitié, la vraie ?

NOUS,
LES FEMMES

Se faire respecter

Être enceinte

Garder son nom de jeune fille

Les enfants

SE FAIRE RESPECTER

« Les femmes ont voulu être traitées
à l'égal des hommes dans les affaires
comme dans bien d'autres domaines.
Il serait ridicule qu'elles attendent
d'un homme d'affaires
qu'il se comporte avec elles
autrement qu'avec un homme. »
Louise Masson,
présidente de la société Beaux Gestes

———————

Soyons honnête, le machisme a fait place à une égalité relative entre hommes et femmes. Certains individus ont toutefois encore du mal à se faire à cette idée. Il n'est donc pas inutile de leur rappeler que nous vivons au XXIe siècle.

Mais pourquoi donc votre directeur prend-il un ton paternaliste dès qu'il s'adresse à vous ? Parce qu'il vous croit idiote ? Sûrement pas, il sait ce que vous faites pour son entreprise. Parce qu'il est beaucoup plus âgé que vous ? Trois ou quatre ans, tout au plus. Ne cherchez plus : s'il a toujours l'air de prendre des gants en vous parlant, c'est tout simplement parce que vous êtes une femme. Et que, depuis son

enfance, on lui a appris à être déférent avec le « sexe faible ». Oui, mais voilà, vous êtes une collaboratrice compétente et travailleuse et vous ne supportez plus son attitude. Ce qu'il considère, lui, comme une marque de respect vous agace au plus haut point. Faire comprendre à certains que l'on n'est pas qu'une femme ressemble fort à un parcours du combattant. Si vous êtes trop autoritaire, on vous prendra pour une aigrie qui se venge de ses problèmes personnels au boulot.

Si vous êtes trop affable, on se dira que, malgré vos compétences, vous n'aurez jamais la poigne nécessaire pour diriger une équipe. Savoir trouver la juste mesure entre féminité et professionnalisme est un défi. Première chose : soyez la reine de la diplomatie. Des allusions à votre statut de femme, vous en entendrez chaque jour, alors prenez-les avec humour, histoire de déstabiliser le mufle qui ne peut s'empêcher de vous titiller. Les jalousies à votre égard seront d'autant plus féroces si vous avez un poste à haute responsabilité. N'écoutez pas les bruits de couloir même si cela vous démange d'aller gifler votre voisin du marketing, celui qui cancane sans cesse à votre propos. Au contraire, si vous le croisez dans les couloirs, montrez votre meilleur visage : celui de la femme épanouie et bien dans sa peau. Même si ce jour-là justement vous n'allez pas bien du tout. Plutôt mourir que de le lui faire savoir ! Et si la pression est trop forte, que vous pensez ne jamais y arriver, dites-vous bien que les hommes ont aussi leurs coups de déprime, simplement on leur pardonne plus facilement. Lorsque l'émotion vous envahit, ne vous donnez jamais en spectacle. Allez prendre l'air, respirez, attendez que ça passe. Surtout, pas de larmes : le gars du marketing l'apprendra et sera trop heureux de s'exclamer : « J'étais sûr qu'elle ne tiendrait pas le coup. »

Être respectée, c'est aussi refuser certaines manies de vos collègues masculins. Ils n'ont pas à vous appeler « Mon petit », ni à vous dire « J'imagine que tu ne pourras pas venir au séminaire avec tes enfants en bas âge », ni même s'étonner quand vous restez tard le soir. Et si, étant mère, vous devez partir parce que le petit est malade ou que la baby-sitter vous a fait faux bond, expliquez les choses frontalement sans en rajouter dans le pathos, mais sans vous cacher non plus, vous rattraperez le travail en retard ensuite. A priori, vous êtes exactement comme eux, au moins en ce qui concerne le travail. Faites-le-leur savoir avec la gentillesse qui vous caractérise. Et insistez s'ils ne comprennent pas (ou font semblant de ne pas comprendre !). Personne ne vous demande non plus d'oublier votre féminité. Être élégante n'a jamais empêché personne d'être compétente mais attention quand même à ne pas vous remaquiller à tout bout de champ devant vos confrères ni appeler sans cesse la nounou pour savoir comment ça se passe à la maison. Vous tendriez le bâton pour vous faire battre.

ÊTRE ENCEINTE

« Ne vous précipitez pas dans le bureau
de votre supérieur deux jours après le test
de grossesse, vous avez tout le temps. »
Site Famili

Si attendre un enfant est pour vous la meilleure des nouvelles, il n'en est pas de même pour vos collaborateurs. Ceux-ci ne
pensent qu'à une chose : la surcharge de travail qui va, forcément,
leur tomber dessus. Votre absence prolongée les inquiète et vous
allez faire tout votre possible pour les calmer.

Le plus difficile, et vous le redoutez depuis quelques semaines, est
d'annoncer à votre patron que vous êtes enceinte. Vous craignez
sans doute qu'il ne prenne cela pour une trahison et vous n'avez pas
tort. Certains managers ont du mal à admettre que l'un de leurs
subordonnés les « laisse tomber ». Il va falloir réfléchir à votre stratégie. Et prendre des gants. Les femmes qui assènent la nouvelle à leur
supérieur puis tournent les talons sans un mot d'explication man-
quent singulièrement de discernement. Avant tout, prévenez vos
collègues les plus proches et demandez-leur la plus grande discrétion. Ils auront ainsi le temps de se faire à l'idée que vous ne serez
plus là pendant quelque temps, en tout cas seize semaines au

minimum, puisque c'est le délai légal. Prévoyez comment les choses vont s'organiser et, quand tout sera plus clair pour vous comme pour les autres, informez votre responsable. Vous aurez ainsi les arguments nécessaires pour « dédramatiser » la situation. S'il sait que vous vous êtes mise d'accord avec Martin pour qu'il prenne le relais dans l'affaire X et que Dupond a accepté de faire suivre vos appels sur son poste, il devrait être soulagé.

La deuxième étape est de ne pas tout laisser en plan. Avant le grand départ, assurez-vous que vos dossiers sont bouclés ou en tous les cas suffisamment clairs pour celui qui vous succédera.

Évitez autant que possible de raconter les gênes des premiers mois de grossesse : vos nausées, vos coups de pompe, gardez-les pour vous. Ne parlez pas de votre état à longueur de journée. Sauf, bien entendu, à vos consœurs qui ont déjà connu ça et qui seront ravies de vous donner des conseils. Certains autres membres de votre service ne s'intéressent que très peu aux joies de la maternité. N'oubliez jamais que ce qui vous rend folle de bonheur laisse de marbre M. Durand de la comptabilité, même si cela vous paraît inconcevable.

Une fois chez vous pour un repos bien mérité, appelez de temps à autre votre bureau. Ne disparaissez pas totalement de la circulation. Prenez des nouvelles, proposez même d'être alertée si un problème survient. Ne devenez pas brusquement une autre, celle qui a coupé complètement les ponts avec sa vie « d'avant ». Ne harcelez pas non plus vos confrères sous prétexte que vous êtes indispensable au bon fonctionnement de l'entreprise : cela pourrait les agacer. À la naissance du bébé, prévenez vos collaborateurs et chargez-les d'annoncer la nouvelle. Si vous n'avez pas envie de les voir débarquer dans votre chambre d'hôpital, prétextez une grosse fatigue et envoyez par mail une photo du nouveau-né. Attention, ne l'adressez pas à tout votre carnet d'adresses, ce serait d'un goût douteux, proche de l'exhibitionnisme ! Rappelez-vous que Monsieur Durand de la comptabilité n'a que faire de la bobine de votre nouveau-né. Savoir que tout fonctionne bien pendant votre absence doit vous permettre de vivre une grossesse détendue. Et votre retour sera d'autant plus facile que vous aurez été bien organisée.

GARDER SON NOM DE JEUNE FILLE

« Les femmes qui rompent avec la tradition
et gardent leur nom de jeunes filles
sont plus performantes. Ces professionnelles
ont travaillé dur pour se faire connaître
dans leur domaine. »
Alan Lavine and Gail Liberman,
journalistes au « Boston Herald »

Un petit changement de nom paraît, au premier abord, une affaire sans importance. Et pourtant ! Avant de prendre ou pas le patronyme de votre mari, réfléchissez bien aux avantages et aux inconvénients qui vont en découler.

Certaines femmes tiennent beaucoup à leur nom de jeune fille. C'est simple : elles marquent ainsi leur territoire. Qui pourrait leur en vouloir, quand on sait le mal que beaucoup se sont donné pour atteindre un poste convoité ? Ou elles préfèrent compartimenter : d'un côté la famille, de l'autre le bureau. Ces deux existences sont si distinctes qu'en refusant de prendre leur nom d'épouse elles ont l'impression d'être deux personnes résolument différentes. À l'inverse, d'autres sont trop contentes de se débarrasser d'un patronyme ridicule ou trop connoté. Si vous avez, par exemple, souffert toute votre vie de plaisanteries de mauvais goût sur votre nom, sautez sur l'occasion ! En devenant Mme Martin au lieu de Mlle Tartignolle, on vous prendra certainement plus au sérieux et vous ne serez pas obligée de supporter le ricanement qui survient systématiquement lorsque vous vous présentez.

Avant de franchir le pas, songez tout de même au chamboulement que cela pourra créer : vos relations ne vous identifieront plus instantanément, il faudra expliquer ce changement d'identité, vous devrez faire réimprimer vos cartes de visite et modifier votre adresse e-mail ! Si votre mari travaille dans le même secteur que vous ou, pis, dans la même entreprise, cette homonymie pourra provoquer des confusions embarrassantes. Vous pourriez recevoir des coups de fil ou du courrier qui ne vous sont pas adressés, un dossier classé confidentiel que l'on vous expédie par erreur. Et puis, quelques soupçonneux penseront immédiatement que vous êtes « Mme Martin, oui, la femme de Martin, tu vois ce que je veux dire », traduction à peine dissimulée de « Encore une pistonnée ». Enfin, en cas de divorce, votre ex-mari pourrait refuser que vous gardiez son nom. Et vous aurez l'impression désagréable de devoir étaler vos problèmes personnels sur la place publique en commentant pourquoi vous avez dû changer d'identité.

Si vous ne savez quoi décider, faites comme beaucoup de femmes : gardez vos deux noms ! Vous ferez plaisir à votre mari (qui y verra une marque d'amour !) et à vos clients (qui n'aiment pas trop les changements impromptus !). Attention tout de même à ce que ce double patronyme ne soit pas trop long ou imprononçable. Ce serait absurde.

Si vous devenez du jour au lendemain Mme Martin, entraînez-vous à ne pas vous tromper vous non plus en répondant au téléphone ou en signant un contrat !

Seul bémol : vos relations d'affaires vous féliciteront pour votre mariage et, par politesse, vous demanderont des détails sur la céré-monie. Si vous détestez raconter votre vie privée au bureau, ce sera l'enfer. Vous voilà prévenue !

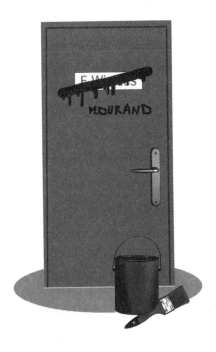

LES ENFANTS

*« Laissez de côté la carrière de votre mari,
vos tentatives infructueuses d'insémination
artificielle et les soucis que cause le petit
dernier. Tout le monde s'en portera mieux. »*

Sophie de Menthon,
« Le savoir-vivre en entreprise »

Vos enfants sont votre priorité. Jusqu'ici, rien d'anormal. Ce qui l'est davantage, c'est de parler d'eux continuellement à vos collaborateurs. Le plus tolérant d'entre eux pourrait être agacé par vos bavardages, qui n'ont pas lieu d'être au bureau.

Toutes les mères vous le diront : il faut parfois prendre sur soi pour ne pas faire référence à tout bout de champ au petit dernier, celui qui est si malin que sa maîtresse veut lui faire sauter sa deuxième section de maternelle. Vous êtes si contente que tout le monde, du gardien au directeur marketing, devrait être au courant. Heureusement, vous avez toujours en tête que votre vie de famille, aussi épanouissante soit-elle, ne doit pas interférer avec votre travail. Et c'est avec un certain dépit que vous avez décidé de garder pour vous cette information de première importance. Quelle sage

décision ! Pour vous conforter dans cette idée qu'il vaut toujours mieux être discrète, songez à Mme Martin et à ces heures passées à l'écouter geindre sur son adolescent à problèmes. Se souvenir de ces moments où vous vous êtes tant ennuyée devrait, à coup sûr, vous retenir de faire la même chose. Ce qui ne veut pas dire que vous ne pouvez pas répondre aux questions concernant vos têtes blondes. Refuser systématiquement de parler d'eux serait bizarre et même déplaisant pour tous ceux qui s'intéressent un peu à vous. Comme toujours, sachez trouver un juste milieu. Même chose pour les dessins qu'Alphonse et Adèle vous offrent chaque soir en rentrant de l'école. Punaiser l'une de leurs œuvres sur votre mur passe. Tapisser entièrement votre bureau de leurs compositions n'est pas une bonne idée. Vous donnerez l'impression d'être l'une de ces mères qui culpabilisent parce qu'elles travaillent ou, pis, de celles qui préféreraient tellement être avec leur progéniture plutôt que dans ce service marketing. La plupart des femmes sont obligées de travailler; être séparée de leurs enfants n'est pas un choix délibéré. Mais parler d'eux sans cesse est une grossière erreur.

Même si nous sommes dans une société évoluée, certains hommes ont du mal à supporter la situation parfois précaire des mères de famille. Si vous devez rentrer à 18 heures pile chez vous ou si vous avez décidé, en accord avec le DRH de votre entreprise, de ne travailler qu'un trois quarts temps pour passer le mercredi avec vos enfants, ne culpabilisez pas, même si vous devez supporter des réflexions désagréables. Au contraire, soyez consciencieuse, organisée et prouvez que, même si vous passez moins de temps au bureau, vous êtes tout aussi efficace. Ne vous retenez pas pour indiquer en temps voulu à ces messieurs, quelquefois maladroits, que vous avez bouclé une affaire avant eux. Un peu d'autopromotion ne peut pas faire de mal. Et cela vous soulagera sûrement !

TOUR DU MONDE
DU SAVOIR-VIVRE
PROFESSIONNEL

« Si un homme d'affaires ne réalise pas
à quel point ses homologues étrangers ont
une culture différente, il court au désastre. »
Kerri Zerlin,
« Tradeshow Week »

Que de différences de savoir-vivre entre tous les pays du monde ! Connaître les coutumes des uns et des autres vous sera incroyablement utile pour négocier. Il suffit parfois de très peu de chose pour rater une affaire importante. Il serait dommage d'échouer tout près du but parce que vous avez serré la main de l'épouse de votre interlocuteur indien, non ?

Les Américains

Ils n'ont pas peur de parler d'argent (et peuvent même vous demander sans sourciller le montant de votre salaire).

Ils donnent leur carte de visite à l'instant même où ils rencontrent pour la première fois une relation d'affaires (faites bien sûr de même avec eux).

Ils ont la réputation d'être d'une grande franchise et vous diront immédiatement ce qui ne va pas (quand le problème est réglé, ils ne vous en tiendront jamais rigueur).

Ils sont très chaleureux (ce qui n'implique pas que vous soyez trop familier avec eux).

Les Russes

Ils sourient rarement en public (n'en soyez surtout pas offusqué).

Ils se vouvoient toujours dans un cadre professionnel.

Ils peuvent se mettre très en colère lorsqu'ils ne sont pas d'accord sur un dossier mais se quittent toujours en bons termes.

Ils ne saluent jamais leurs collègues avant d'avoir été invités à entrer dans leur bureau.

Ils ne boivent rien à table (si vous avez soif, vous devrez attendre le dessert où thé et vodka sont proposés).

Les Indiens

Ils joignent les mains sous le menton en se penchant pour saluer, mais peuvent également vous serrer la main dans un contexte professionnel.

Ils seraient extrêmement choqués si vous serriez la main d'une femme. Ils parlent toujours affaires avant le dîner. Le repas du soir se prend très rapidement.

Ils seront contents de vous recevoir, mais ne félicitez jamais une maîtresse de maison pour son dîner : cela porte malheur.

Ils se lavent toujours les mains après les repas (vous ferez la même chose).

Ils crachent un peu partout sans que cela soit considéré comme indécent (en revanche, on ne se mouche jamais en public).

Les Chinois

Ils serrent la main en baissant légèrement la tête (il est impensable d'embrasser un Chinois sur les deux joues, même si vous le connaissez depuis des années).

Ils ne comprendraient pas que vous soyez en retard. Ce serait un signe de mépris. Vous devez même être en avance aux rendez-vous (au moins un quart d'heure avant l'heure prévue).

Ils commenceront par refuser le cadeau que vous leur offrez. Vous devez insister. Ils finiront par l'accepter et le rangeront sans l'ouvrir devant vous.

Les Japonais

Ils inclinent le buste et gardent les bras le long du corps pour saluer, remercier ou s'excuser. Les femmes s'inclinent également mais posent leurs mains sur leurs cuisses.

Ils vous proposeront facilement de l'aide mais la bienséance veut que vous refusiez trois fois avant d'accepter.

Les hommes replient leurs jambes devant eux lors d'un dîner autour d'une table basse. Quant aux femmes, elles les replient sur le côté.

Ils tendent leur carte de visite avant même de commencer une conversation.

Ils tâcheront de savoir précisément quel est votre statut (la hiérarchie est extrêmement importante au Japon).

Les Espagnols

Ils ont le tutoiement facile, ce qui ne veut pas dire qu'ils vous considèrent comme des intimes.

Ils n'ont pas les mêmes horaires que les Français. S'ils vous invitent à dîner, vous ne passerez pas à table avant 23 heures (ne leur proposez pas non plus des rendez-vous trop tôt).

Les Italiens

Ils tutoient très facilement.

Ils peuvent vous embrasser pour vous saluer quand vous les avez déjà rencontrés.

Ils aiment que l'on mentionne leur titre (Professor Giuliani, Doctor Massimo, Ingenior Mastroni).

Ils ne sont pas très à cheval sur les horaires (si vous avez un peu de retard, inutile de paniquer).

Les Grecs

Ils sont souvent extrêmement en retard aux rendez-vous (ne vous affolez pas si, quarante-cinq minutes après l'heure prévue, ils ne sont toujours pas là).

Ils n'aiment pas parler affaires au cours du déjeuner et attendent toujours le café pour se lancer.

Ils déjeunent généralement à 14 heures et dînent à 22 heures.

Les Anglais

Ils ne serrent pas la main à la première rencontre.

Ils appellent facilement leur interlocuteur par leur prénom (ce qui ne veut pas dire qu'ils sont familiers).

Ils n'y vont pas par quatre chemins pour vous dire ce qui
ne va pas (mais restent toujours courtois).

Ils supportent mal les explications qui durent des heures
et préfèrent les discours concis.

Ils invitent rarement leurs relations chez eux (ne soyez
pas étonné s'ils vous proposent plutôt de prendre un
verre au pub).

Les Allemands

Ils disent seulement « Bonjour » pour saluer un interlocuteur, sans ajouter ni « Monsieur » ni « Madame », même
s'ils vous rencontrent pour la première fois.

Ils sont toujours d'une extrême ponctualité.

Ils s'habillent le plus souvent de manière très décontractée pour aller au bureau.

Ils n'aiment pas beaucoup qu'on leur donne des conseils
sur leur carrière.

Les Suédois

Ils tutoient dès la première rencontre, quel que soit l'âge
ou le statut hiérarchique de leurs interlocuteurs.

Ils s'habillent le plus souvent en jean pour aller travailler.

Les Norvégiens

Ils se serrent toujours la main entre collaborateurs pour
se saluer le matin.

Ils préfèrent manger un sandwich à leur bureau
(les déjeuners d'affaires sont rares).

Les dîners débutent généralement vers 17 heures.

INDEX

TABLE DES MATIÈRES

Remerciements

Merci à Pascaline Rey-Costa
pour ses précieux conseils.